Guía de conversación YALE

ESPAÑOL-INGLES

EDITORIAL CANTABRICA, S. A. BILBAO

Con la colaboración de: Enrique Chueca
Profesor de idiomas
Revisión: Carmen Aréchaga
Ilustraciones: Estudios B. C.

GUIAS PUBLICADAS

Español/Francés
Español/Inglés
Español/Alemán
Español/Italiano
Español/Euskara
Español/Portugués
Español/Catalán
Español/Arabe
Español/Holandés

English/Spanish
Deutsch/Spanisch
Français/Espagnol
Italiano/Spagnolo
Português/Espanhol
Arabe/Español
Nederlands/Spaans
Japonés/Español

GUIAS GASTRONOMICAS

Manger en Espagne
Eating in Spain
Essen in Spain

TUTTO YALE

Las Plantas
Los Perros
Los Postres
El Bar en casa

Impreso en España
Printed in Spain

Depósito legal: BI. 387 - 94
I.S.B.N.: 84-221-0323-0

Edita:

Nervión, 3 - 6.°
Telf. (94) 424 53 07
Fax (94) 423 19 84
48001 Bilbao-España

Impreso por: GRAFO, S. A. - Basauri - Bilbao

INDICE

INTRODUCCION

Tiene usted entre sus manos una GUÍA YALE un librito cuya principal pretensión es convertirse en un útil —y ameno— compañero de viaje. Haya usted viajado o no, sabrá cuán interesante y agradable es poder utilizar la lengua del país que se visita y cuánto más simpático resultará a los ingleses que le vean esforzarse por dirigirse a ellos en su hermoso idioma. Pero ¿hasta qué punto puede ayudarle la GUÍA YALE? La respuesta depende de su familiaridad con el inglés:

SI USTED DESCONOCE POR COMPLETO EL INGLES, la GUÍA resultará una sencilla y entretenida introducción a esta lengua. No trata de ser un texto didáctico, sino simplemente una guía práctica, capaz de poner a su alcance una completa colección de frases tipo, que no sólo le permitirán desenvolverse en las más variadas circunstancias, sino que le servirán de base para crear otras similares. No dude en aprenderse todos los días unas cuantas frases y palabras de memoria; practique con ellas y utilícelas siempre que tenga ocasión y se sorprenderá al ver con qué rapidez y facilidad va ampliando sus conocimientos. Y no tema a la barrera de la pronunciación: puede resultar ridículo pedir por señas un vaso de agua, pero nunca lo será solicitar un *glas of uóter*, aunque la pronunciación no se ajuste milimétricamente a lo que acaso exigiera Oxford. Y por lo menos evitará que, tras un alarde de mímica, le sirvan té con limón.

SI USTED YA TIENE CONOCIMIENTOS DE INGLES, la GUÍA le servirá de utilísimo auxiliar. Le bastará un breve vistazo antes de entrar en el restaurante, en el Banco, en la peluquería, para recordar qué frases son las más apropiadas en cada caso o cuál es el equivalente inglés exacto de esa palabra que se le escapa. Tenga siempre la GUÍA al alcance de su mano; con ella, sus conocimientos del inglés se ampliarán a un nivel muy superior a lo que usted se hubiera atrevido a suponer.

SI USTED DOMINA EL INGLES, la GUÍA le permitirá extender al máximo sus conocimientos. Por sus frecuentes viajes, o por sus negocios, acaso maneje de forma impecable la terminología comercial, pero ¿se atrevería a enfrentarse con una carta de platos típicos? o ¿podría describir con precisión a la dependienta de los grandes almacenes el conjunto que le encargó su esposa? La GUÍA YALE le permitirá completar estas pequeñas lagunas, potenciando al máximo sus conocimientos del idioma y haciendo que su estancia en Gran Bretaña resulte doblemente agradable.

PRONUNCIACION FIGURADA

La pronunciación es uno de los problemas más delicados del idioma inglés. En efecto, sólo es posible adquirir un genuino acento inglés tras largos años de práctica o de residencia en las Islas. Pero la Guía Yale no tiene la vana pretensión de que usted hable inglés como un nativo, sino simplemente de que se haga entender en un inglés correcto. Como además su finalidad es eminentemente práctica, en la pronunciación figurada se ha rechazado todo signo, símbolo o letra que pudiera dificultar la rapidez de la lectura. Tales símbolos sólo sirven para complicar lo que tratan de aclarar y su utilidad práctica es casi nula, pues son varios los fonemas ingleses sin equivalente castellano. Por ello la Guía Yale ha reducido la pronunciación figurada a la máxima sencillez posible, aunque desde luego cuidando la corrección de la expresión. Así, todo cuanto usted debe hacer es leer *con decisión* la pronunciación figurada de la frase que pretende decir; no se preocupe, los ingleses le entenderán.

NORMAS GRAMATICALES

ARTICULO

Determinado. Es invariable; el, la, los, las = *the.*

Indeterminado. un, una = *a* (*an* si la siguiente palabra empieza por vocal o *h* muda, de las que sólo hay tres comunes: hour, honest, honour).

unos, unas = *some*, en frases afirmativas.
any, en frases negativas e interrogativas.

NOMBRE

Género: Masculino: Varones y animales machos.
Femenino: Mujeres y animales hembras.
Neutro: Cosas.

El femenino se forma de tres maneras:
Con palabra distinta del masculino: *boy - girl* (muchacho-a)
Con la terminación *ess: count - countess* (conde-esa).
Anteponiendo voces complementarias: *man*, *male*, *he*, *cock* (a los masculinos) y las opuestas *maid*, *female*, *she*, *hen* (a los femeninos).

Formación del plural.

Regla general: Añadir *s* al singular. Algunas

terminaciones	cambian a	
s, ch, sh, x	ses, ches, shes, xes	*box-boxes* (caja-s)
f, fe	ves	*knife-knives* (cuchillo-s)
consonante + y	ies	*fly-flies* (mosca-s)
o	oes	*potato-potatoes* (patata-s)

Ciertos plurales son irregulares: *man - men* (hombre-s).

ADJETIVO

Calificativo. Precede al nombre y es invariable en género y número

Comparativo de igualdad

tan	como =	*as*	*as*
tanto . . .	como =	*as much.* . .	*as*
tantos . .	como =	*as many.* . .	*as*

En frases negativas el primer *as* se sustituye por so:

I *am* as tall *as* you = Soy *tan* alto *como* tú

You have not *so many* dogs *as* I = No tienes *tantos* perros *como* yo

Comparativo de superioridad. Se forma añadiendo *er* a los positivos monosílabos y a algunos bisílabos. En los demás casos se antepone el adverbio *more* al positivo:

small - smaller (pequeño - más pequeño);

beautiful - more beautiful (hermoso - más hermoso)

Comparativo de inferioridad. *menos que... = less than...*

Superlativo relativo. Se forma añadiendo *est* a los positivos monosílabos y a algunos bisílabos. En los demás casos se antepone *the most* al positivo:

small - smallest (pequeño - el más pequeño)

beautiful - the most beautiful (hermoso - el más hermoso)

Demostrativo.

This = este, esta	*That* = ese, esa, aquel, aquella
These = estos, estas	*Those* = esos, esas, aquellos, aquellas

Posesivos.

My = mi ,mis	*Its* = su, sus (neutro)
Your = tu, tus; su, sus (de Ud.)	*Our* = nuestro-a, nuestros-as
His = su, sus (de él)	*Your* = vuestro-a (s); su, sus (Uds.)
Her = su, sus (de ella)	*Their* = su, sus (de ellos, ellas)

Numerales y Ordinales. Véase el apartado correspondiente de la Agenda.

Indefinidos. Véanse los Pronombres Indefinidos.

PRONOMBRE

Personales

P. Personal sujeto (Subject)		P. Personal complemento (Object)	
I	= yo	*Me*	= me, mi
You	= tú, Ud.	*You*	= te, ti; le, Ud.
He	= él	*Him*	= le, él
She	= ella	*Her*	= le, la, ella
It	= él, ella, ello (neutro)	*It*	= le, la, lo (neutro)
We	= nosotros-as	*Us*	= nos, nosotros-as
You	= vosotros-as, Uds.	*You*	= os; les, Uds.
They	= ellos-as	*Them*	= los, las, les

Demostrativos. Son iguales a los Adjetivos Demostrativos.

Relativos. Que, quién, el cual, la cual (y sus plurales) se traducen:
Who = si se refieren a personas.
Which = si se refieren a cosas o animales.
That se utiliza con toda clase de seres y objetos.
What traduce a «lo que» y se aplica al género neutro.
Who, forma nominativa, se declina en *whom* (a, para, de quien...) en el acusativo, y en *whose* (de quien, cuyo...) en el genitivo si verdaderamente expresa idea de posesión.
Los relativos compuestos se forman añadiendo *-ever:* *Whoever* (quienquiera que), *whichever* (cualquiera que), etc.

Interrogativos. Excepto *that*, que no puede utilizarse en interrogación, son iguales a los relativos. Preceden siempre al verbo y *who* debe declinarse.

Posesivos. Son invariables en género y número; así, *mine* traduce mío, mía, míos, mías, el mío, la mía, los míos, las mías.

Mine	= mío	*Its*	= suyo (neutro)
Yours	= tuyo; suyo (de Ud.)	*Ours*	= nuestro
His	= suyo (de él)	*Yours*	= vuestro; suyo (de Uds.)
Hers	= suyo (de ella)	*Theirs*	= (de ellos, de ellas)

Reflexivos. Se forman con las terminaciones *self* (mismo) o *selves* (mismos):

Myself	*Itself*
Yourself	*Ourselves*
Himself	*Yourselves*
Herself	*Themselves*

Distributivos. Los principales son:

Each = Cada (un elemento entre un número determinado)

Every = Cada (un elemento entre un número indeterminado)

Either = El uno o el otro, uno de los dos
Neither = Ni uno ni otro, ninguno de los dos.

Indefinidos. Los principales son:

All, Everything, The whole: Todo.
Some: Unos, unas, algo de (en frases negativas e interrogativas se sustituye por *any*).

Any: Cualquiera, cada, algún
None: Ninguno, ninguna
One: Uno, una
Such: Tal, semejante
Few: Pocos, pocas
Many: Muchos, muchas
Both: ambos, los dos
Other: Otro-a, otros-as
Little: Poco, poca
Much: Mucho, mucha
Plenty of, a lot of: Muchísimo

Añadiendo a *some*, *any* las palabras *One*, *body*, *man* se forman compuestos *(someone, anybody...)* con significado de alguien, alguno.

Añadiendo *thing* se forman compuestos *(something, anything)* con significado de algo. Si en lugar de *some* o *any* se emplea *no*, los compuestos *(none, nobody, nothing...)* se traducen por nadie, nada.

ADVERBIO

De tiempo:

After: después	*Always:* siempre	*Before:* ante
Late: tarde	*Never:* nunca	*Now:* ahora
Often: a menudo	*Once:* una vez	*Since:* desde
Soon: pronto	*Still:* todavía	*Then:* luego
Today: hoy	*Tomorrow*: mañana	*Tonight:* esta noche
	Twice: dos veces	
When: cuando	*Whenever:* siempre que	*Yesterday:* ayer

De lugar:

Above: arriba	*Away:* fuera	*Back:* detrás
Before: delante	*Behind:* detrás	*Below, down:* abajo
Far: lejos	*Here:* aquí	*Inside:* dentro
Near: cerca	*Off:* fuera	*On:* encima
Out: fuera	*Over:* sobre	*There:* allí
Up: arriba	*Where:* donde	

De comparación:	*About:* aproximadamente	*Almost:* casi
Enough: bastante	*Less:* menos	*Little:* poco
More: más	*Much:* mucho	*Only:* sólo
Quite: del todo	*Too:* demasiado	*Very:* muy

De modo:

Fast: de prisa	*How:* como	*Ill:* mal
No, not: no	*Perhaps:* quizá	*Together:* juntos
Well: bien	*Yes:* sí	

La terminación -mente se traduce al inglés por -ly:
Chief - Chiefly = principal - principalmente

PREPOSICION

About: referente a, sobre	*Above:* encima de	*After:* después de
Against: contra	*Along:* a lo largo de	*Among:* entre (varios)
At: a	*Before:* antes de	*Behind:* detrás de

Below: debajo de	*Beside:* al lado de	*Between:* entre (dos)
Beyond: más allá de	*By:* por	*Down:* abajo
For: para, por	*From:* desde	*In, into:* en, dentro
Near: cerca de	*Of:* de	*On:* sobre
Over: encima de	*Round:* alrededor de	*Since:* desde
Through: a través de	*Till:* hasta	*To:* a, para
Towards: hacia	*Under:* bajo	*Up:* (hacia) arriba
With: con	*Within:* dentro de	*Without:* sin

Hay además locuciones prepositivas: *as far as* (tan lejos como), *close to* (cerca de), *in order to* (a fin de), *in front of* (enfrente de), etc.

CONJUNCION

And: y	*As:* como, pues	*Although:* aunque
Because: porque	*But:* pero	*However:* sin embargo
If: si	*Or:* o	*Since:* puesto que
So: así	*Still:* sin embargo	*Than, that:* que
Then: pues	*Therefore:* por tanto	*Till:* hasta que
Unless: a menos que	*When:* cuando	*Whether:* si
While, whilst: mientras	*Why*: por qué	*Yet*: sin embargo

VERBO

Verbo *to have* (haber o tener)			Verbo *to be* (ser o estar)	
Presente		P. Imperfecto	Presente	P. Imperfecto
I	*have*	*had*	*am*	*was*
You	*have*	*had*	*are*	*were*
He	*has*	*had*	*is*	*was*
We	*have*	*had*	*are*	*were*
You	*have*	*had*	*are*	*were*
They	*have*	*had*	*are*	*were*

Conjugación: Los verbos ingleses no tienen desinencias que distingan a las diferentes personas; todas se conjugan como la primera (algo así como si en castellano conjugáramos yo comía, tú comía, el comía, nosotros comía...). Por ello, a falta de sujeto presente (expreso), es imprescindible colocar el pronombre personal correspondiente. El futuro se forma anteponiendo *shall* al verbo en las primeras personas y *will* en las restantes. Para el condicional se antepone *should* al verbo en las primeras personas y *would* en las restantes. De este modo puede construirse toda la conjugación de un verbo recordando simplemente tres palabras: su infinitivo, su imperfecto y su participio pasivo. Sin embargo, debe tenerse en cuenta que la tercera persona del singular del presente de indicativo lleva añadida la terminación *-s*. Para añadir esta *s* en algunos casos especiales véanse las normas de formación del plural.
El gerundio se forma añadiendo la terminación *-ing*.
Modelo de conjugación. Verbo ir *(go, went, gone)*.

INFINITIVO

Presente	Ir	*To go*
Pretérito	Haber ido	*To have gone*
Gerundio	Yendo	*Going*

INDICATIVO

Presente	Voy	*I* go (3.ª pers. *he goes*)
Pretérito perfecto	He ido	*I have* gone
Imperfecto	Fui	*I* went
Pretérito plusc.	Había ido	*I had gone*
Futuro imperfecto	Iré	*I shall go (You will go)*
Futuro perfecto	Habré ido	*I shall have gone (you will...)*

CONDICIONAL

Simple	Iría	*I should go (You would go)*
Compuesto	Habría ido	*I should have gone (You would...)*

SUBJUNTIVO

Presente	Que yo vaya	*That I go*
Pretérito perfecto	Que yo haya ido	*That I had gone*
Imperfecto	Si yo fuera	*If I went*
Pretérito plusc.	Si yo hubiera ido	*If I should had gone (if you w.)*

Verbos regulares e irregulares. Verbos regulares son los que forman el imperfecto y el participio pasivo por simple adición de la terminación *-ed: call, called, called* (llamar, llamaba, llamado). Los irregulares no se ajustan a esta regla: *do, did, done* (hacer, hacía, hecho).

Forma negativa. To have, to be y los verbos llamados defectivos (*shall*, deber; *will*, querer; *Must*, deber; *can*, poder; *may*, poder) forman frases negativas en el orden:

Sujeto - verbo - negación *(not)*

I	*can*	*not*		= Yo no puedo
I	*have*	*not*	*had*	= Yo no he tenido

Los restantes forman frases negativas en el orden:

Sujeto - verbo auxil. - *not* - verbo pral.

I	*have*	*not*	*eaten*	= Yo no he comido
I	*shall*	*not*	*eat*	= Yo no comeré

Si en la frase no existe verbo auxiliar se emplea en su lugar el *do-did-done*, en el que recaen las modificaciones que afectarían al principal:

Sujeto - auxiliar - *not* - principal

I	*do*	*not*	*eat*	= Yo no como
He	*does*	*not*	*eat*	= El no come
I	*did*	*not*	*eat*	= Yo no comía

Forma interrogativa: To have, to be y los defectivos forman frases interrogativas en el orden:

Verbo - sujeto

Can	*I?*		= ¿Puedo yo?
Have	*I*	*had?*	= ¿He tenido yo?

Los restantes forman frases negativas en el orden:

Verbo auxiliar - Sujeto - Verbo pral.

Have	*I*	*eaten?*	= ¿He comido yo?
Shall	*I*	*eat?*	= ¿Comeré yo?

Si en la frase no existe verbo auxiliar se emplea en su lugar el *do-did-done*, en el que recaen las modificaciones que afectarían al principal:

Auxiliar - Sujeto - Principal

Do	*I*	*eat?*	= ¿Como yo?
Does	*He*	*eat?*	= ¿Come él?
Did	*I*	*eat?*	= ¿Comía yo?

Presente simple y progresivo (continuo). El presente simple indica acción realizada con carácter de habitualidad:

Voy al taller todos los días = *I go to the workshop every day*

Su forma progresiva (estoy + gerundio) denota acción actual:

Voy al taller ahora = *I am going to the workshop now.*

GENITIVO SAJON

Caso posesivo. Si el poseedor es persona o ser viviente, el genitivo se construye en la forma:

Poseedor - 's - cosa poseída

My friend's house = La casa de mi amigo
The cat's tail = La cola del gato pero en plural:
My friends' house = La casa de mis amigos
The cats' tails = Las colas de los gatos

Moneda

1 Pound (libra) = 100 pence.

Longitud

1 inch = 25,4 mm	1 cm = 0,3937 inch = 0,03280 foot
1 foot = 0,3048 m	1 m = 3,2808 feet = 1,0936 yards
1 yard = 0,9144 m	1 km = 0,62137 miles
1 mile = 1,609 km	

Peso

1 pound AVDP = 0,4536 kg	1 kg = 35,274 ounces AVDP
1 pound Troy = 0,3732 kg	1 kg = 2,205 pounds AVDP
1 ounce AVDP = 28,35 g	
1 ounce Troy = 31,10 g	

Capacidad

1 quart (USA) = 0,9463 l	1 litro = 0,212 gallon G.B
1 quart (G.B.) = 1,1364 l	= 0,264 gallon USA
1 pint (USA) = 0,4731 l	= 1,756 pints G.B.
1 pint (G.B.) = 0,5682 l	= 2,113 pints USA
1 gallon (USA) = 3,7853 l	
1 gallon (G.B.) = 4,546 l	
1 bushel (USA) = 35,2382 l	
1 bushel (G.B.) = 36,3676 l	

Superficie

1 square foot = 0,093 m^2	1 m^2 = 10,764 square feet
1 square yard = 0,8361 m^2	1 área = 1.076,4 square feet
1 acre = 0,4047 Ha	= 0,02471 acres

Volumen

1 cubic foot = 28,31 dm^3 1 dm^3 = 61,023 cubic inches

Temperatura

$^{o}C = (^{o}F - 32)\ 5/9$ $^{o}F = 9/5\ ^{o}C + 32$

FRASES USUALES

Aquí tiene a su disposición varias de las frases y locuciones que con más frecuencia se presentan en una conversación o pueden intercalarse en ella. Trate de recordarlas, elija el momento apropiado para *colocarlas* y usted mismo se asombrará de sus rápidos progresos en conversaciones sencillas.

SALUDOS

Buenos días Good morning *Gúd mórnin*	**Buenas tardes** Good evening *Gúd ífnin*	**Buenas noches** Good night *Gúd náit*
¿Qué hay? ¿Qué tal? How do you do? *Jáu duyudu?*	**¿Cómo está usted?** How are you? *Jáu ar yu?*	**Muy bien, gracias** Very well, thank you *Veri uell, zénkiu*
¿Y su familia? And your family? *And yor famili?*	**Están bien** All right *Ol ráit*	**Hasta mañana** See you tomorrow *Síi yu tumórrou*
Hasta la vista Good bye *Gúdbai*	**Hasta pronto** See you soon *Síi yu sun*	

PREGUNTAS

¿Habla usted español?	**¿Comprende usted?**	**¿Cómo ha dicho?**
Do you speak Spanish?	Do you understand?	What did you say?
Du yu spik spanish?	*Du yu anderstán?*	*Uót did yu sey?*
¿Qué dice usted?	**¿Cómo dice?**	**¿Quién es?**
What are you saying?	What do you say?	Who is it?
Uót ar yu seing?	*Uót do yu sey?*	*Jú is it?*
¿Qué es eso?	**¿Dónde va usted?**	**¿Qué quiere usted?**
What is that?	Where are you going?	What do you want?
Uót is dat?	*Uér ar yu goin?*	*Uót du yu uónt?*
¿Está Ud. seguro?	**¿De veras?**	**¿Cuánto?**
Are you sure?	Really?	How much?
Ar yu shúr?	*Ríili?*	*Jáu mach?*
¿Cuántos?	**¿Aquí o allá?**	**¿Por qué?**
How many?	Here or there?	Why?
Jáu meny?	*Jíer or der?*	*Uái?*

AFIRMACIONES

Sí	**De acuerdo**	**Es verdad**
Yes	O.K. (All right)	It is true
Yes	*Okey (ol rait)*	*It is tru*

Quizá	**Como usted quiera**	**Cuando usted guste**
Perhaps, maybe	As you want	As soon as you want
Perjáps, meibi	*As yu uónt*	*As sun as yu uónt*
Tiene usted razón	**Entiendo**	
You are right	I understand	
Yu ar rait	*Ai anderstan*	

NEGACIONES

No	**En absoluto**	**Nunca**
No	Not at all	Never
Nou	*Notatól*	*Never*
Nadie	**No sé**	**Lo siento**
Nobody, no one	I do not know	I beg your pardon
Noubody, nóu uan	*Ai dont nou*	*Ai beg yor pardon*
No entiendo	**No creo**	**Está usted confundido**
I do not understand	I do not think so	You are wrong
Ai dont anderstan	*Ai du not zink sou*	*Yu ar rong*
Es falso	**Nada**	**Es imposible**
It is wrong	Nothing	It is impossible
It's rong	*Nazin*	*It's impósibel*

PRESENTACIONES

Le presento al Sr...	**Mucho gusto**	**Me llamo**
Let me introduce you to Mr...	Glad to see you	My name is
Let mi introdius yu tu míster ...	*Glad tu síi yu*	*Mai néim is*

CORTESIA

Gracias	**Muchas gracias**	**Por favor**
Thank you	Thank you very much	Please
Zénkiu	*Zénkiu veri mach*	*Plís*
Se lo ruego	**Con mucho gusto**	**A su salud**
I beg you	With pleasure	Cheers!
Ai beguiú	*Uiz plésher*	*Chiers!*
Siéntese, por favor	**Dispense**	**Perdón**
Sit down, please	Excuse me	I beg your pardon
Sit daun plís	*Exkius-mi*	*Ai beg yor pardon*

Es usted muy amable
You are very kind
Yu ar veri káind

EXCLAMACIONES

¡Qué cosa más bonita!	**Maravilloso**	**¡Qué gusto!**
What a pretty thing!	Wonderful	What a pleasure!
Uót e priti zing!	*Uánderful*	*Uót e plésher!*
¡Qué suerte!	**Es curioso**	**¡Qué lástima!**
What luck!	That is funny	What a pity!
Uót lak!	*Dat is fany*	*Uót e piti!*
¡Qué fastidio!	**¡Qué tontería!**	**¡Qué vergüenza!**
What a nuisance!	What a nonsence!	What a shame!
Uót e niúsens!	*Uót e nónsens!*	*Uót e shéim!*

ORDENES

Hable más despacio	**Por favor, dese prisa**	**¡La cuenta!**
Speak slowly	Hurry up, please	The bill!
Spík slouli	*Járri ap, plís*	*De bil!*
¡Camarero!	**¡Venga aquí!**	**¡Deme!**
Waiter!	Come here!	Give me!
Uéiter!	*Cam jíer!*	*Guif mi!*
¡Salga!	**¡Escuche!**	**Silencio**
Get out!	Listen!	Silence
Guet aut!	*Lísen!*	*Sailens*
¡Socorro!		
Help!		
Jelp!		

PALABRAS DE USO MUY FRECUENTE

Además Moreover *Morouver*	**Adelante** Ahead *Ajéd*	**Alrededor de** Around *Aráund*
Algunas veces Sometimes *Samtaims*	**Allí** There *Der*	**Antes de** Before *Bifór*
Apenas Scarcely *Skersli*	**Aquí** Here *Jíer*	**Arriba** Up *Ap*
Atrás Backwards *Bákuords*	**Bien** Well *Uel*	**Casi** Almost *Olmoust*
Cerca de Near *Níer*	**¿Cómo?** How? *Jáu?*	**Contra** Against *Eguénst*
¿Cuándo? When? *Uén?*	**¿Cuánto?** How much? *Jau mach?*	**Cuántos?** How many? *Jau meni?*
Debajo de Under *Ander*	**Delante de** Before *Bifor*	**Dentro de** In *In*
Demasiado Too much *Túu mach*	**Demasiados** Too many *Túu meni*	**Desde** From *From*
Despacio Slowly *Slouli*	**Después de** After *After*	**Detrás** Behind *Bijain*
¿Dónde? Where? *Uér?*	**Durante** During *Diurin*	**En** In *In*

Encima
On
On

En frente
In front of
In frontof

En otra parte
Elsewhere
Els-uér

En seguida
Forthwith
Forz-uiz

En todas partes
Everywhere
Ebriuér

Entonces
Then
Den

Excepto
Except
Exsept

Fuera de
Out
Aut

Hacia
Towards
Tóuars

Hasta
Till
Til

Lejos
Far
Far

Más
More
Mor

Menos
Less
Les

Mucho
Much
Mach

Muchos
Many
Meni

Muy
Very
Veri

Para
For
For

Porque
Because
Bicós

¿Por qué?
Why?
Uái?

Según
According to
Acordin tu

Pronto
Soon
Súun

Rápido
Fast
Fast

Sólo
Only
Ounli

Siempre
Always
Olueis

Sin
Without
Uizaut

Temprano
Soon
Súun

También
Too
Túu

Todavía
Yet, still
Yet, stil

Un poco
A little
Ei lítel

Y
And
And

AVISOS O CARTELES PUBLICOS

Cuidado Caution *Cóshon*	**Cerrado** Closed *Cloust*	**Peligro** Danger *Déinyer*
Ascensor Elevator *Elevéitor*	**Entrada** Entrance *Entráns*	**Salida** Exit *Éxit*
Se alquila For hire (rent) *For jáier (rent)*	**Se vende** For sale *For seil*	**Libre** Free *Fríi*
Cables de alta tensión High tension wires *Jai tenshon uáiers*	**Prohibido pisar el césped** Keep off the grass *Kip of de gras*	**Prohibido el paso** Keep out *Kip aut*

Señoras
Ladies
Léidis

Lavabos
Lavatory
Lavátori

Ascensor
Lift
Lift

Caballeros
Men
Men

Se prohíbe la entrada
No admittance
Nou admítans

Se prohíbe fumar
No smoking
Nou smóukin

Ocupado
Engaged
Ingueícht

Abierto
Open
Oupen

Silencio
Silence
Sáilens

Prohibido fijar carteles
Stick no bills
Stik nou bils

A la derecha (izquierda)
Keep right (left)
Kip rait (left)

Cuidado con la pintura
Wet paint
Uet peint

Tirar
Pull
Pul

Privado
Private
Praivet

Obras
Men at work
Men at uerk

Empujar
Push
Púsh

Atención al...
Beware of...
Biuér of...

Llame al timbre
Ring the bell
Ring de bel

TRAFICO

Cruce	**Peligro**	**Curva peligrosa**
Crossroads	Danger	Dangerous curve
Crósrouds	*Déinyer*	*Déinyeres kérv*
Calle sin salida	**Desviación**	**Paso a nivel**
Dead end	Detour	Level crossing
Ded end	*Ditur*	*Lével crósin*
Estrecho	**Dirección única**	**Autopista**
Narrow	One way	Motorway
Nárrou	*Uan uei*	*Moútoruey*
Escuela	**Despacio**	**Velocidad limitada**
School	Slow down	Speed limit
Skúl	*Slou dáun*	*Spid límit*

NUMEROS

1. One. *Uan*
2. Two. *Tu*
3. Three. *Zri*
4. Four. *For*
5. Five. *Faiv*
6. Six. *Six*
7. Seven. *Seven*
8. Eight. *Eit*
9. Nine. *Nain*
10. Ten. *Ten*

11. Eleven. *Ileven*
12. Twelve. *Tuélv*
13. Thirteen. *Zertíin*
14. Fourteen. *Fortíin*
15. Fifteen. *Fiftíin*
16. Sixteen. *Sixtíin*
17. Seventeen. *Seventíin*
18. Eighteen. *Eitíin*
19. Nineteen. *Naintíin*

20. Twenty. *Tuenti*
21. Twenty-one. *Tuenti-uan*
22. Twenty-two. *Tuenti-tu*
23. Twenty-three. *Tuenti-zri*
24. Twenty-four. *Tuenti-for*

30. Thirty. *Zerti*
40. Forty. *Forti*
50. Fifty. *Fifti*
60. Sixty. *Sixti*
70. Seventy. *Seventi*
80. Eighty. *Eiti*
90. Ninety. *Nainti*

100. A hundred. *Ei jándrid*
200. Two hundred. *Tu jándrid*
300. Three hundred. *Zri jándrid*
400. Four hundred. *For jándrid*
500. Five hundred. *Faiv jándrid*
600. Six hundred. *Six jándrid*
700. Seven hundred. *Seven jándrid*
800. Eight hundred. *Eit jándrid*
900. Nine hundred. *Nain jándrid*
1.000. A thousand. *Ei záusend*
10.000. Ten thousand. *Ten záusend*
100.000. A hundred thousand. *Ei jándrid záusend*
1.000.000. A million. *Ei million*
1.000.000.000. A milliard. *Ei miliard*

NOTA: Billion (bilion) equivale a
10^9 en Estados Unidos
10^{12} en Gran Bretaña

1.° First. *Ferst*
2.° Second. *Second*
3.° Third. *Zérd*
4.° Fourth. *Fórz*
5.° Fifth. *Fifz*
6.° Sixth. *Sixz*
7.° Seventh. *Sevenz*
8.° Eighth. *Eiz*
9.° Ninth. *Náinz*
10.° Tenth. *Ténz*

1/2. One half. *Uan jalf*
1/3. One third. *Uan zérd*
1/4. One quarter. *Uan kuórter*
1/5. One fifth. *Uan fifz*
1/6. One sixth. *Uan sixz*
1/7. One seventh. *Uan sevenz*
1/8. One eighth. *Uan éiz*
1/9. One ninth. *Uan náinz*
1/10. One tenth. *Uan tenz*

VIAJE

Viajar es delicioso, cierto, pero debe prevenirse contra pequeños incidentes que podrían convertirse en desagradables problemas. Si usted se desplaza en su propio automóvil, junto al mapa de ruta, que seguramente considerará indispensable, no olvide la GUÍA YALE, que le sacará de apuros si tiene la mala suerte de tener una avería. De la misma forma le ayudará a pasar la Aduana, a sacar billete para el medio de transporte que ha elegido, a saber de qué andén sale su tren o de qué pista despega su avión. Con ella, en fin, podrá entenderse con el taxista o el conductor del autobús, que, muy probablemente, desconocerán el español.

LA ADUANA

Aduana Customhouse *Castomjáus*	**Nombre** Name *Neim*	**Apellido** Surname *Sérneim*
Documentación Documentation *Dokiumenteishen*	**Equipaje** Luggage *Láguech*	**Pasaporte** Passport *Pásport*
Permiso internacional de conducir International driving licence *Internéishional dráivin láisens*	**Regalo** Present, gift *Prísent, guift*	**Derechos de aduana** Customs duties *Castoms diutis*

Oficina de cambio
Exchange office
Exchéinch ófis

Por favor, su pasaporte
Passport, please
Pásport, plis

Muéstreme su documentación y el certificado médico
Show me your papers and the health certificate
Shou mi yor peipers and de jelz sertifikeit

¿Tiene usted algo que declarar?
Have you anything to declare?
Jáv yu énizin tu diclér?

Nada
Nothing
Nazin

Llevo algunas botellas de whisky y cigarrillos
I have some bottles of whisky and cigarettes
Ai jáv sam botels of uiski and sigarets

Abra sus maletas
Open your bags
Oupen yor bags

¿Debo pagar por estos regalos?
Must I pay for these presents?
Mast ai pei for dis présents?

¿Qué hay en estos paquetes?
What have you in these parcels?
Uót jáv yu in dis pársels?

Objetos de uso personal y artículos de cocina
Personal effects and kitchen utensils
Pérsonal ífects and kitchen yuténsils

¿Puedo cerrar mis maletas?
May I close my bags?
Mei ai clouse mai bags?

¿Cuánto debo pagar?
How much must I pay?
Jau mach mast ai pei?

¿Está todo en orden?
Is everything O.K.?
Is évrizin okey?

¿Dónde está la oficina de cambio?
Where is the exchange office?
Uér is di exchéinch ófis?

¿Cuál es la cotización de la peseta?
What is the rate for the peseta?
Uót is de réit for de pesita?

¿Puede cambiarme ... pesetas?
Can you change ... pesetas?
Can yu chéinch ... pesitas?

¿Dónde puedo encontrar un taxi?
Where can I find a taxi?
Uér can ai faind e taxi?

EL BARCO

Puerto
Port
Port

Proa
Bow
Bóu

Babor
Port side
Port sáid

Cubierta
Deck
Dek

Muelle
Quay
Kíi

Popa
Stern
Stern

Estribor
Starboard
Starbord

Capitán
Captain
Cápten

Camarote
Cabin
Cábin

Bodega
Hold
Jould

Timón
Rudder
Ráder

Práctico
Pilot
Pailot

Marinero
Seaman, sailor
Síiman, seilor

Travesía
Voyage
Vóich

Hacer escala
To call
Tu cól

Atracar
To come alongside
Tu cam elongsaid

Levar anclas
To heave up anchor
Tu jiv ap ánkor

Hamaca
Deck-chair
Dek-chér

¿Qué día (a qué hora) sale el barco para...?
On what day (at what time) does the ship sail for...?
On uót dei (at uót taim) das de ship séil for...?

Desearía un pasaje para...
I want a ticket for...
Ai uont ei tiket for...

Deme un camarote de primera clase
Give me a first class cabin
Guiv mi e ferst clas cábin

Debe estar en el puerto dos horas antes de la salida
You must be at the port two hours before departure
Yu mast bi at de port tu auers bifor diparcher

¿De qué muelle sale el barco?
From what quay does the ship sail?
From uót kíi das de ship seil?

¿Dónde está mi camarote?
Where is my cabin?
Uér is mai cábin?

Su camarote está situado a proa
Your cabin is forward
Yor cábin is foruord

Por aquí, ¡cuidado con la cabeza!
This way, mind you head!
Dis uey, maind yor jed!

Estos bultos deben ir en la bodega
These parcels must travel in the baggage hold
Diis parsels mast travel in de báguech jould

¿Cuántas escalas haremos antes de llegar a...?
How many times shall we call before...?
Jáu meni taims shal ui col bifor...?

El barco atracará en los puertos de...
The ship will call in...
De ship uil col in...

¡Atención! El barco va a levar anclas
Look! We are about to heave up anchors
Luk! Ui ar ebaut tu jiv ap ankors

¡Agárrense bien!
Hold tight!
Jóuld táit!

Me mareo
I am seasick
Ai am sisik

¿Tiene píldoras contra el mareo?
Have you any pills against seasickness?
Jáv yu eni píls egueínst sísiknes?

¿Dónde está el bar?
Where is the bar?
Uér is de bar?

No abre hasta las diez
It is not open before ten
It's not oupen bifor ten

Camarero, ¿puede proporcionarme una hamaca por favor?
Waiter, will you please get me a deck chair?
Ueiter, uil yu plís guet mi e dek cher?

Entramos ya en el puerto
We are coming into the harbour
Ui ar camin intu de járbor

¿Tardaremos en desembarcar?
Will it be long before going ashore?
Uil it bi long bifor goin eshór?

Sírvase bajar mis maletas al muelle
Please put my baggage on the quay
Plis put mai bagguech on de kíi

¿Dónde está la enfermería?
Where is the infirmary?
Uér is the infirmary?

EL TREN

La estación Station *Steishen*	**El andén** Platform *Plátform*	**Las vías** Tracks *Traks*
Locomotora Locomotive *Locomotif*	**Ventanilla** Window *Uíndou*	**Revisor** Inspector *Inspector*
Mozo Porter *Porter*	**Viajero** Passenger *Pésensher*	**Baúl** Trunk *Trank*
Maleta Bag *Bag*	**Maletín** Briefcase *Brífkéis*	**Equipaje** Baggage *Bágguech*

Billete	**Ida**	**Ida y vuelta**
Ticket	Single (One way)	Return (Round trip)
Tíket	*Singuel (Uan uei)*	*Ritérn (Raund trip)*
Primera	**Segunda**	**Consigna**
First class	Second class	Left luggage office
Ferst klas	*Sékond klas*	*Left láguech ófis*
Coche cama	**Coche restaurante**	
Sleeping-car	Dining car	
Slípin-car	*Dáinin car*	

¿Dónde está la taquilla?
Where is the ticket office?
Uér is de tíket ófis?

¿Cuál es el precio de un billete para...?
What is the fare to...?
Uót is de fér tu...?

Hoy no hay tren
There is no train to-day
Der is nou trein tudei

Un billete para Londres
A ticket to London
E tíket tu London

¿Para qué tren?
By which train?
Bai uích trein?

¿Hay tarifa reducida para niños?
Is there a special fare for children?
Is der e spésial fer for children?

¿Cuánto es?
How much is it?
Jau mach is it?

Quiero facturar mi equipaje
I want my baggage registered (checked)
Ai uónt mai bagguech rechister'd (chekt)

Aquí están los talones
Here are the luggage tickets (checks)
Jíer ar de lagguech tikets (cheks)

Ponga estas maletas en el tren
Put these bags in the train
Put dís bags in de trein

Estas son mis maletas
Here are muy bags
Jíer ar mai bags

¿A qué hora sale el tren para...?
At what time does the train for... leave?
At uót taim das de trein for... líiv?

Dentro de diez minutos
In ten minutes
In ten mínits

El tren para... sale del andén n.º 4
The train for... leaves from platform n.º 4
De trein for... líivs from platform namber for

¿Es éste el tren para...?
Is this the train for...?
Is dis de trein for...?

¿Dónde está el quiosco de periódicos?
Where is the newspaper shop?
Uér is de niuspéiper shop?

Un horario, por favor
A railway timetable
E reiluei taimteibel

Sres. viajeros, al tren
All aboard!
Ol ebourd!

Este asiento está ocupado
Tris seat is taken
Dis sı́it is teiken

¿Por qué se para el tren?
Why is the train stopping?
Uái is de trein stopin?

Paramos aquí media hora
We stop here half an hour
Ui stop jíer jalf an auer

¿Me permite fumar, señora?
May I smoke, madam?
Mei ai smouk, madam?

Por favor, cierre la ventanilla
Please, close the window
Plíis, clous de uindou

Billetes, por favor
Tickets, please
Tíkets, plíis

¿Dónde está el coche restaurante?
Where is the dining-car?
Uér is de dáinin car?

¿Hay trasbordo en el trayecto?
Must I change trains?
Mast ai chéinch treins?

Debe cambiar de tren en...
You must change trains at...
Yu mast chéinch treins at...

Prepare mi cama
Prepare my berth
Pripéer mai berz

Avíseme a las siete
Call me at seven
Col mi at seven

¿Cuántas estaciones faltan para llegar a...?
How many stations are there to...?
Jáu meni steishens ar der tu...?

¿A qué hora llegamos?
At what time do we arrive?
At uót taim du ui arráiv?

Llevamos 15 minutos de retraso
We are fifteen minutes late
Ui ar fiftíin mínits leit

Recoja mi equipaje
Take my bags
Teik mai bags

Este maletín no es mío
This brief-case is not mine
Dis brífkéis is not main

Búsqueme un taxi
Find me a taxi
Fain mi e taxi

VIAJE EN AUTOMOVIL

El viaje en automóvil es delicioso, cierto, pero debe prevenirse contra pequeños incidentes que podrían convertirse en desagradables problemas. Junto al mapa de ruta, que seguramente considerará indispensable, no olvide poner la GUÍA YALE, que le sacará de apuros si tiene la mala suerte de tener una avería o simplemente para entablar un sencillo diálogo con el expendedor de gasolina.

AUTOMOVIL
Servicio y averías

Aceite	**Acelerador**	**Agua**
Oil	Accelerator	Water
Oil	*Aselereitor*	*Uóter*

Aire
Air
Éer

Avería
Breakdown
Bréik-daun

Batería
Battery
Battri

Biela
Connecting rod
Conéctin rod

Bobina
Coil
Coil

Bomba
Pump
Pamp

Bujía
Plug
Plag

Caja de cambios
Gear box
Guíer box

Cámara
Chamber
Chéimber

Capó
Bonnet
Bónet

Carburador
Carburetor
Carbiureiter

Cárter
Crankcase
Kránkkéis

Cigüeñal
Crankshaft
Crankshaft

Cinturón de seguridad
Safety belt
Seifti belt

Correa de ventilador
Fan belt
Fan belt

Culata
Cylinder head
Sílinder jed

Depósito
Tank
Tank

Desembrague
Declutch
Diclách

Dinamo
Dynamo
Dainamo

Embrague
Clutch
Clach

Faro (antiniebla)
Head-light (Fog light)
Jed láit (Fog láit)

Filtro
Filter
Fílter

Freno
Brake
Breik

Fusible
Fuse
Fius

Gasolina
Petrol (gasoline)
Pétrol (guésolin)

Gato
Jack
Yak

Guarda-barros
Wing (fender)
Uing (fénder)

Intermitente
Blinking-light
Blinking-láit

Junta de culata
Cylinder head joint
Sílinder jed yoint

Limpia-parabrisas
Screen wiper
Scrin-uáiper

Llave de contacto
Ignition key
Iguiníshon kíi

Matrícula
Registration number
Reshistreishen namber

Mezcla
Mixture
Mixcher

Motor
Engine
Enyin

Neumático
Tyre (tire)
Táier

Palanca
Lever
Lever

Parabrisas
Windscreen
Uindscrin

Parachoques
Bumper
Bámper

Pedal
Pedal
Pédal

Pilotos
Lights
Láits

Pinchazo
Puncture
Pánkcher

Pistón
Piston
Píston

Platinos
Breaker points
Bréiker points

Portezuela
Door
Dóor

Radiador
Radiator
Radiéiter

Rueda
Wheel
Uíl

Segmentos
Piston rings
Píston rings

Tubo de escape
Exhaust pipe
Exóst páip

Válvula
Valve
Válv

Volante
Steering wheel
Stíiring uíl

Tengo un neumático deshinchado
I have a flat tyre
I jáv e flat táier

Repase las bujías
Check the plugs
Chek de plugs

Cargue la batería
Charge the battery
Charch de battri

Tengo avería
My car has broken down
Mai kar jas brouken dáun

Mi coche se ha averiado a ... millas de aquí
My car has broken down ... miles from here
Mai car jas brouken daun ... máils from jíer

¿Puede usted remolcarme?
Can you tow my car?
Can yu tou mai car?

El coche no arranca
The car won't start
De car uónt start

El radiador pierde
The radiator leaks
De radiéiter líiks

El motor está agarrotado
The engine has seized
De enyin jas síist

El embrague no funciona
The clutch does not work
De clach das not uerk

¿Dónde está el garaje?
Where is the garage?
Uér is de gárach?

¿Está abierto por la noche?
Is it open at night?
Is it oupen at náit?

Llene el depósito
Fill her up
Fil jer ap

Cinco galones, por favor (1 galón = 4 l aprox.)
Put in five gallons, please
Put in fáiv gálons, plís

Son ... libras
It is ... pounds
It is ... páunds

Necesito aceite (agua)
I need some oil (water)
Ai níid sam oil (uóter)

Quiero cambiar el aceite
I want the oil changed
Ai uont de oil chéincht

¿Pueden engrasar el coche?
Can you have my car greased?
Can yu jáv mai car gríist?

Llene el radiador
Fill up the radiator
Fill ap de radieiter

Revise los neumáticos
Examine the tyres
Eksamin de táiers

¿Tiene usted repuestos?
Have you any spares?
Jáv yu éni spéers?

Tenemos que pedir recambios
We have to send for spare parts
Ui jáv tu send for spéer parts

¿Tienen mecánico?
Is there a mechanic?
Is der a mecanic?

¿Cuánto tiempo tardarán en lavarlo (repararlo)?
How long will it take to wash it (to repair it)?
Jáu long uil it téik tu uosh it (tu ripér it)?

Tardarán tres días
It will take three days
It uil téik zri deis

Necesita bujías nuevas
It needs new plugs
It nı́ids niu plags

¿Pueden hacer un arreglo provisional?
Can you repair it temporarily?
Can yu ripér it temporerili?

Hay que reparar el carburador
The carburetor needs repairing
De carbiureiter nı́ids ripérin

¿Qué le pasa?
What is the matter?
Uót is de máter?

La batería está descargada
The battery is dead
De battri is ded

¿Dónde está la comisaría (el hospital)?
Where is the police station (hospital)?
Uér is de polís steishon (jóspital)?

Hay un accidente a ... millas de aquí
There has been an accident ... miles from here
Der jas bín an áksident ... mails from jier

Hay heridos
There is someone injured
Der is sam-uán inyert

Llamen a un médico
Call a doctor
Col e doctor

¿Está Ud. herido?
Are you hurt?
Ar yu jért?

Aquí está mi poliza de seguros
Here is my insurance cover
Jier is mai insiurans caver

AUTOMOVIL
Alquiler, en carretera

Norte North *Norz*	**Sur** South *Sauz*	**Este** East *Ist*
Oeste West *Uest*	**Por aquí** This way *Dis uei*	**Por allá** That way *Dat uei*
A la derecha (izquierda) To the right (left) *Tu de ráit (left)*	**Lejos** Far *Far*	**Cerca** Near *Níer*

Deseo alquilar un coche
I want to hire a car
Ai uont tu jáier e car

Aquí está mi carnet de conducir
Here is my driving licence
Jíer is mai draivin láisens

¿Cuál es el precio por km (por día)?
What is the cost per km (per day)?
Uót is de cóust per kilométer (per dei)?

Incluido el seguro
Insurance included
Insiurans inclúdet

¿Debo dejar fianza?
Must I give a deposit?
Mast ai guiv ei depósit?

¿Puedo dejar mi coche aquí?
Can I park here?
Can ai park jíer?

¿Cuánto tiempo?
How long?
Jau long?

Toda la noche
All night long
Ol náit long

¿A qué distancia está ...?
How far is ...?
Jáu far is ...?

Son unas ... millas
There are some ... miles
Der ar sam ... mails

No está lejos
It is not far
It is not far

Para ir a ..., por favor
The road to ..., please
De roud tu ..., plís

En esta dirección
This way
Dis uei

Siga, va en dirección correcta
Carry on, you are going the right way
Kéry on, yu ar gouin de rait uéy

¿Es buena la carretera?
Is the road good?
Is de roud gud?

Sí, pero con muchas curvas
Yes, but with many bends
Yes, bat uiz meni bends

¿Es ésta la carretera para ...?
Is this the way to ...?
Is dis de uei tu ...?

Gire a la izquierda en el primer cruce
Turn left at the next crossroads
Tern left at de next crós-rouds

¿Puede hacerme un croquis?
Can you draw me a map?
Can yu dróu mi e map?

¿Puede recomendarme un buen restaurante?
Can you recommend me a good restaurant?
Can yu récomend mi e gúd réstorant?

Vaya a ... Le atenderán bien
Go to ... You will be satisfied
Gou tu ... Yu uill bi satisfait

¿Está lejos?
Is it far?
Is it far?

AVION

Aeropuerto
Airport
Éerport

Piloto
Pilot
Páilot

Cinturón de seguridad
Safety belt
Seifti belt

Butaca
Seat
Síit

Pista de aterrizaje
Runway
Ránuei

Radiotelegrafista
Radio officer
Reidio ófiser

Vuelo
Flight
Fláit

Estación terminal
Terminal
Terminal

Hélice
Propeller
Própeler

Azafata
Air hostess
Eer jostés

Motores
Engines
Enyins

Deseo una reserva para el próximo vuelo a ...
I want a reservation for the first flight to ...
Ai uónt e reservéishen for de ferst fláit tu ...

¿Cuánto equipaje admiten libre de pago?
How much free luggage is allowed?
Jáu mach fríi lágguech is eláud?

¿Cómo puedo trasladarme al aeropuerto?
How can I go to the airport?
Jáu can ai gou tu di éerport?

En el autocar de la compañía
In the service bus
In de servis bas

El altavoz le avisará
The loudspeaker will warn you
De laudspiker uil uorn yu

Se ruega a los pasajeros del vuelo ... pasen a la puerta ...
Passengers for flight ... go to door ...
Pásenyers for fláit ... gou tu dóor ...

Prohibido fumar
No smoking
Nou smoukin

Por favor, abróchense los cinturones
Fasten your belts, please
Fásen yor belts, plís

No deben fumar hasta que hayamos despegado
You must not smoke until we have taken off
Yu mast not smouk antil ui jav téiken of

Deme un poco de algodón para los oídos, por favor
Can I have some cotton wool for my ears?
Can ai jáv sam cóton úul for mai iers?

¿Dónde estamos ahora?
Where are we now?
Uér ar ui nau?

¿Quiere tomar algo?
Do you want to have something?
Du yu uónt tu jáv sámzin?

Una taza de café, por favor
One coffee, please
Uan cófi, plís

Hay algo de niebla
There is some fog
Der is sam fog

Aterrizaremos dentro de diez minutos
We shall land in ten minutes
Ui shal land in ten minits

El avión está descendiendo
The plane is going down
De plein is goin daun

Retire su equipaje de la estación terminal
Pick up your luggage at the terminal
Pik ap yor láguech at de términal

Ha sido un viaje muy agradable
It has been a very pleasant trip
It jas bin e veri plésant trip

AUTOBUS Y METRO

Quiero ir a ...
I want to go to ...
Ai uont tu gou tu ...

¿Qué autobús debo tomar?
What bus must I take?
Uót bas mast ai téik?

Para aquí
Stop here
Stop jíer

¿Pasa este autobús por ...?
Does this bus pass by ...?
Das dis bas pas bai ...?

El metro le deja muy cerca
The underground (subway) leaves you very near
Di ándergraund (sábuei) liivs yu veri nier

(Dígame) ¿Dónde debo apearme?
(Tell me) Where do I get off?
(Tel mi) Uér du ai guet of?

Dos billetes. ¿Cuánto es?
Two tickets. How much?
Tu tíkets. Jáu mach?

¿Está lejos?
Is it far?
Is it far?

Ya ha llegado usted
Here you are
Jíer yu ar

TAXI

Lléveme a la calle ...
Take me to ... street
Teik mi tu ... strit

Deme una vuelta por la ciudad
Drive around the city
Dráiv eráund de siti

¿Cuánto me costaría ir a ...?
How much is the fare for ...?
Jáu mach is de fér for ...?

Espéreme un momento
Wait a minute
Uéit e mínit

Vuelvo ahora mismo
I won't be a minute
Ai uónt bi e mínit

No puedo esperar
I cannot wait
I canot uéit

Le espero enfrente
I shall wait for you on the opposite side
Ai shal uéit for yu on di opósit said

Ya hemos llegado
Here you are
Jíer yu ar

¿Qué le debo?
How much is it?
Jáu mach is it?

Tenga, para usted
That is for you
Dat is for yu

Venga a buscarme mañana a las diez
Come tomorrow at 10 o'clock
Cam tumorróu at ten oclok

Lléveme a un buen hotel
Take me to a good hotel
Téik mi tu e gud jotél

¿Está muy lejos?
Is it very far?
Is it veri far?

¿Sabe usted dónde está ...?
Do you know where is ...?
Du yu nou uér is ...?

HOTEL

En todo buen hotel tendrá un adecuado servicio de intérpretes, pero usted no puede pretender disponer de uno en exclusiva. Con la GUÍA YALE estará seguro de hacerse comprender en todo momento y podrá disfrutar al máximo de su estancia y de la original cocina inglesa.

LA LLEGADA

Gerente Manager *Mánayer*	**Portero** Porter *Pórter*	**Botones** Valet *Válet*
Maitre Maitre *Metr*	**Camarero** Waiter *Uéiter*	**Camarera** Chamber maid *Chéimber meid*
Comedor Dining-room *Dáining rum*	**Dormitorio** Room *Rum*	**Bar** Bar *Bar*
Cuarto de baño Bath room *Bázrum*	**Cama** Bed *Bed*	**Llave** Key *Kíi*

Por favor, ¿tienen habitaciones libres?
Please, have you any room free?
Plís jáv yu éni rum fri?

Tengo reservada una habitación
I have booked a room
Ai jáv búkt e rum

Desearía una habitación exterior (interior)
I want an outside (inside) room
Ai uónt an áutsaid (insaid) rum

Para una persona
For one person
For uán pérson

Para dos personas
For two people
For tu pípol

Quiero una habitación con baño
I want a room with bath
Ai uónt e rum uiz baz

¿Cuánto tiempo piensa quedarse, señor?
How long will you remain, Sir?
Jáu long uil yu riméin, Ser?

Esta noche
Tonight
Tunáit

Unos tres días
Some three days
Sam zri deis

¿Cuál es el precio?
How much is it?
Jáu mach is it?

¿Desea la habitación sola, media pensión o pensión completa?
Do you want just the room, half board or full board?
Du yu uónt yast de rum, jaf bord or ful bord?

¿Incluido el desayuno?
Breakfast included?
Brekfast inclúded?

¿Podría ver la habitación?
May I see the room?
Mei ai sii de rum?

Es demasiado oscura
It is too dark
It is túu dark

Hay demasiado ruido
It is too noisy
It is túu noisi

¿Le gusta ésta?
Do you like this one?
Du yu laik dis uan?

Está bien, gracias
All right, thank you
Ol ráit, zénkiu

Suban mi equipaje, por favor
Send up my luggage, please
Sent ap mai lágguech, plís

LA ESTANCIA

Agua Water *Uóter*	**Jabón** Soap *Sóup*	**Toalla** Towel *Táuel*
Guía telefónica Telephone directory *Télefoun diréktori*	**Ropa** Clothes *Klóuds*	**Manta** Blanket *Blánket*
Papel de cartas Writing paper *Ráitin péiper*	**Sobre** Envelope *Envelop*	**Sello** Stamp *Stamp*
Ventana Window *Uíndou*	**Puerta** Door *Dóor*	**Vaso** Glass *Glas*

Mi llave, por favor, número ...
My key, please, number ...
Mai kíi, plís, námber ...

¿Hay alguna carta para mí?
Is there any letter for me?
Is der eni léter for mi?

Envíeme un botones
Send the valet
Sent de válet

¡Adelante!
Come in!
Kám in!

¿Dónde está la guía telefónica?
Where is the telephone directory?
Uér is de télefon diréktori?

El agua está fría
The water is cold
De uóter is cóuld

Tráigame toallas, jabón
Bring towels, soap
Bring táuels, soup

Encárguese de que me laven la ropa
Send my clothes to the laundry!
Sent mai clouds tu de lóndri!

¿Podrían limpiarme los zapatos?
Please, polish my shoes
Plís, pólish mai shús

¿Podrían coserme este botón? ¿planchar mi pantalón?
Please, sew this button, iron my trousers
Plís, sóu dis bóton, airon mai tráusers

Esto es para lavar
This is for the laundry
Dis is for the lóndri

Estará listo para mañana
It will be ready tomorrow
It uil bi rédi tumórrou

Búsqueme un taxi
Please, send for a taxi
Plís, send for e taxi

¿Tiene usted un plano de la ciudad?
Have you a street plan?
Jáv yu e strit plan?

Tengo frío. Ponga otra manta en la cama, por favor
I am cold. Please, put another blanket on the bed
Ai am cóuld. Plís, put enáder blánket on de bed

Sírvase llamarme mañana temprano, a las ocho
Please call me tomorrow at eight o'clock
Plís col mi tumorrou at éit oclók

LA PARTIDA

Marcharé mañana por la mañana a ...
I shall leave tomorrow morning at ...
Ai shal líiv tumórrou mórnin at ...

Prepare mi cuenta, por favor
Prepare my bill, please
Pripér mai bil, plís

¿Quiere repasarla? Sólo he estado dos noches, no tres
Please check it over. I have been here only two nights, not three
Plís chek it óuver. Ai jáv bin jíer óunli tu náits, not zri

Gracias. ¿Está todo incluido?
Thank you. Is everything included?
Zénkiu. Is evrizin incliuded?

Sírvase bajar mis maletas
Send down my luggage, please
Send dáun mai lágguech, plís

COMIDAS

Desayuno
Breakfast
Brékfast

Comida
Dinner
Díner

Cena
Supper
Sáper

Régimen
Diet
Dáiet

Carta
Menu
Meniu

¿A qué hora se sirve la comida, la cena?
At what time is dinner (supper) served?
At uót táim is díner (sáper) serft?

Suba el desayuno a mi habitación
Serve my breakfast in my room
Serv mai brékfast in mai rum

Sírvame en seguida, por favor, tengo prisa
Please do not be long. I am in a hurry
Plis don't bi long. Ai am in e jarri

Tomaré el menú del día
I shall have today's menu
Ai shal jáv tudeis meniu

Tráigame por favor una comida de régimen
Bring me a diet meal, please
Bring mi e dáiet mil, plís

No vendré a comer. ¿Puede prepararme una bolsa de comida?
I shall not be here for dinner. Can I have something to take out with me?
Ai shal not bi jíer for díner. Can ai jáv samzin tu téik aut uiz mi?

¿Podría tomar algo a esta hora?
May I have something to eat now?
Mei ai jáv samzin tu iit náu?

El comedor está cerrado
The dining room is closed
De dainin rum is cloust

Póngalo en mi cuenta. Habitación número ...
Charge it to my bill. Room number ...
Charch it tu mai bil. Rum námber ...

EN EL RESTAURANTE

Aunque en todos los restaurantes encontrará el menú escrito con sus precios, siempre tendrá necesidad de entablar un pequeño diálogo con el camarero, pedirle aclaración sobre la composición de algunos platos o elegir la bebida.

Teniendo la GUÍA YALE no se cree preocupaciones inútiles. Dé un vistazo a estas frases y aplíquelas en cuanto tenga oportunidad.

RESTAURANTE

Mantel
Table cloth
Téibel cloz

Servilleta
Napkin
Népkin

Vaso (copa)
Glass
Glas

Taza
Cup
Cap

Menú
Menu
Méniu

Cuenta
Bill (check)
Bil (chek)

Tenedor
Fork
Fork
Cuchara
Spoon
Spun
Cuchillo
Knife
Naif
Vaso
Glass
Glas
Plato
Dish
Dish
Pan
Bread
Bred
Vino
Wine
Uain
Sopa
Soup
Sup
Marisco
Shellfish
Shelfish
Pescado
Fish
Fish
Carne
Meat
Mit
Fruta
Fruit
Frút

¿Dónde podemos sentarnos?
Where can we sit?
Uér can ui sít?

Camarero, una mesa para cuatro
Waiter, a table for four
Uéiter, e téibe for for

Deme la carta
The menu, please
De méniu, plís

¿Cuál es la especialidad de la casa?
What is your speciality?
Uót is yor spéshialti?

¿Qué vino me recomienda?
Which wine do you recommend?
Uich uáin du yu ricoménd?

Estoy a régimen
I am on a diet
Ai am on e dáiet

Tráiganos ...
Bring us ...
Bring as ...

Quisiera comenzar con un consomé
First of all, I want some chicken soup
Ferst of ol, ai uónt sam chiken sup

Después tomaré un bistec poco hecho
Afterwards, I shall have an underdone steak
Afteruórds, ai shal jáv an anderdan stéik

Bastante, gracias
That is enough, thanks
Dat is inaf, zenks

Sírvame más, por favor
Can I have some more, please?
Can ai jáv sam mor, plís?

Sin salsa
No sauce
Nou sos

Tráiganos agua mineral
Bring us some mineral water
Bring as sam míneral uóter

La cuenta, por favor
The bill (check), please
De bil (chek), plís

¿Está incluido el servicio (propina)?
Is the tip included?
Is de tip inclúded?

TERMINOS DE COCINA

Cocido Boiled *Boilt*	**Sofrito** Lightly fried *Láitli fráid*	**Frito** Fried *Fraid*
Braseado Braised *Bréist*	**Asado** Roasted *Róusted*	**A la parrilla** Grilled *Grilt*
Crudo Raw *Róu*	**Muy poco hecho** Very rare *Veri réar*	**Poco hecho** Rare, underdone *Réar, anderdan*

Regular Medium *Mídiam*	**Bien hecho** Well done *Uel dan*	**Al horno** Baked *Béikt*
Guisado Baked *Béikt*		

LISTA DE ALIMENTOS
Condimentos

Aceite Oil *Oil*	**Vinagre** Vinegar *Vínegar*	**Mostaza** Mustard *Mastard*
Sal Salt *Solt*	**Pimienta negra** Black pepper *Blak pe'par*	**Pimienta roja** Red pepper *Red pe'par*

Sopas y pastas

Caldo Broth *Broz*	**Canalones** Caneloni *Caneloni*	**Consomé** Consommé *Consomé*
Fideos Vermicelli *Vermiseli*	**Macarrones** Macaroni *Macaroni*	**Puré** Purée *Piurei*
Ravioli Ravioli *Ravioli*	**Sopa** Soup *Sup*	**Tallarines** Spagueti *Spagueti*

Huevos

Huevos	**Escalfados**	**Duros**
Eggs	Poached	Hard boiled
Egs	*Pouchid*	*Jard bóild*
Pasado por agua	**Revueltos**	**Tortilla**
Soft boiled	Scrambled	Omelet
Soft boild	*Scrambelt*	*Om'let*

Legumbres

Alubias	**Cebolla**	**Col**
Beans	Onion	Cabbage
Bíins	*Ónion*	*Cábeich*
Coliflor	**Espárrago**	**Espinaca**
Cauliflower	Asparagus	Spinach
Cóliflauer	*Aspáragas*	*Spínach*
Garbanzos	**Habas**	**Judías verdes (vainas)**
Chick-peas	Lima beans	French beans
Chik-píis	*Láima bíins*	*Frénch bíins*
Lechuga	**Lentejas**	**Patatas**
Lettuce	Lentils	Potatoes
Létus	*Léntils*	*Potéitous*
Pepino	**Rabanitos**	**Setas**
Cucumber	Radishes	Mushrooms
Kiucámber	*Radishis*	*Máshrums*
Tomates	**Zanahoria**	**Puerro**
Tomatoes	Carrot	Leak
Toméitous	*Károt*	*Líik*

Pescado y marisco

Almeja Clam *Clam*	**Anguila** Eel *Il*	**Anchoa** Anchovies *Anchovis*
Atún Tuna *Túna*	**Bacalao** Cod *Cod*	**Cangrejo** Crab *Crab*
Calamar Squid *Skuíd*	**Camarón** Shrimp *Shrimp*	**Langosta** Crayfish *Créifish*
Langostino (Gamba) Prawn *Pron*	**Lenguado** Sole *Sóul*	**Lubina** Bass *Bass*
Mejillón Mussel *Másel*	**Merluza** Hake *Jéik*	**Mero** Jewfish *Yiúfish*
Ostra Oyster *Oíster*	**Percebe** Barnacle *Barnéikel*	**Pescadilla** Codling *Códling*
Pulpo Octopus *Oktepus*	**Salmón** Salmon *Sa'mon*	**Salmón ahumado** Smoked salmon *Smoukt sa'mon*
Salmonete Red mullet *Red málet*	**Sardina** Sardine *Sárdin*	**Trucha** Trout *Traut*

Carnes y caza

Asado de vaca
Roast beef
Róust bíif

Becada
Woodcock
Úudcok

Bistec
Steak
Steik

Buey
Beef
Bíif

Callos
Tripe
Traip

Cerdo
Pork
Pork

Codorniz
Quail
Kueil

Conejo
Rabbit
Rábit

Cordero
Mutton
Máton

Chuleta
Cutlet
Catlet

Faisán
Pheasant
Féesant

Gallina
Hen
Jen

Hígado
Liver
Líver

Ganso
Goose
Gúus

Jamón
Ham
Jam

Lechón
Sucking pig
Sákin pig

Lengua
Tongue
Tong

Liebre
Hare
Héer

Lomo de cerdo
Chine of pork
Cháin of pork

Pato
Duck
Dak

Pavo
Turkey
Térki

Perdiz
Partridge
Partrich

Pichón
Pigeon
Píshon

Pierna de cordero
Leg of mutton
Leg of máton

Pollo
Chicken
Chíken

Riñones
Kidneys
Kídnis

Sesos
Brains
Breins

Solomillo
Sirloin
Sirloin

Ternera
Veal
Vil

Frutas y postres

Albaricoque
Apricot
Éipricot

Almendra
Almond
Amond

Avellana
Hazelnut
Jéiselnat

Cereza
Cherry
Cherri

Ciruela
Plum
Plam

Dátiles
Dates
Déits

Flan
Cream caramel
Crím carámel

Fresa
Strawberry
Stróberri

Granada
Pomegranate
Pomgranéit

Grosella
Gooseberry
Gúsberri

Helado
Ice cream
Ais críim

Higo
Fig
Fig

Mandarina
Tangerine
Tánsherin

Mantequilla
Butter
Báter

Manzana
Apple
Apel

Melocotón
Peach
Pich

Melón
Melon
Mélon

Membrillo
Quince
Kuins

Naranja
Orange
Órench

Nuez
Walnut
Uólnat

Pastel
Pie
Pái

Pera
Pear
Péer

Piña
Pineapple
Painápel

Plátano
Banana
Banana

Queso
Cheese
Chíis

Tarta
Cake
Kéik

Tarta de manzana
Apple pie
Apel pái

Bebidas

Agua mineral
Mineral water
Mineral uóter

Anís
Anisette
Anisét

Café
Coffee
Cófi

Café con leche
White coffee
Uáit cófi

Cerveza
Beer
Bíer

Coctel
Cocktail
Cóctel

Coñac
Brandy
Brándi

Champán
Champagne
Shampañ

Chocolate
Chocolate
Chókoleit

Ginebra
Gin
Yin

Leche
Milk
Milk

Limonada
Lemonade
Lémoneid

Jerez
Sherry
Sherri

Ron
Rum
Ram

Sidra
Cider
Sáider

Sifón
Siphon
Sáifen

Vermut
Vermouth
Vérmuz

Vino blanco
White wine
Uáit uáin

Vino tinto
Red wine
Red uáin

Whisky
Whisky
Uiski

Zumo de naranja
Orange juice
Órench yus

Té
Tea
Tíi

Zumo de limón
Lemon juice
Lémon yus

COMPRAS

¿Está seguro de que no va a sucumbir a la tentación de adquirir algún recuerdo o prenda útil? Pero además es más que probable que necesite comprar tabaco, desee revelar alguna fotografía o tenga que hacer algún regalo. Y en cualquiera de estos casos la Guía Yale resultará un inapreciable auxiliar para que usted pueda encontrar exactamente lo que desea.

PERFUMERIA

Crema limpiadora
Cleansing cream
Cléńsing crı́im

Crema nutritiva
Nourishing cream
Nóurisin crím

Leche de belleza
Beauty milk
Biuti milk

Colonia
Cologne water
Colóun uóter

Rimmel
Mascara
Mascara

Lápiz para cejas
Eyebrow pencil
Aibrau pénsil

Jabón de tocador
Scented soap
Séntid sóup

Lápiz de labios
Lipstick
Lípstik

Perfilador de labios
Lip outliner
Lip autláiner

Maquillaje compacto
Compact makeup
Kómpact méikap

Maquillaje crema
Makeup cream
Méikap críim

Maquillaje en polvo
Makeup powder
Méikap páuder

Polvos faciales
Face powder
Feis páuder

Crema depilatoria
Hair removing cream
Jéer rimouvin críim

Desodorante
Deodorant
Diódorant

Champú
Shampoo
Shampú

Pinzas depilatorias
Hair removing tweezers
Jéer rimóuvin tuísers

Esmalte
Nail varnish
Néil varnish

Quitaesmalte
Nail varnish remover
Néil varnish rimóuver

Laca para el pelo
Hairspray
Jéersprei

¿Podría aconsejarme una buena crema limpiadora?
Can you recommend me a good cleansing cream?
Can yu rícomend mi e gud clénsing críim?

Tengo el cutis muy fino (graso, seco)
I have a very delicate (oily, dry) skin
Ai jáv e veri délikeit (óili, drái) skín

Deme leche de belleza no grasienta
Give me a non oily beauty cream
Guiv mi e non oili biuti crim

Enséñeme algún maquillaje
Show me some makeup
Shou mi sam méikap

¿En crema o compacto?
Cream or a compact one?
Críim or e compact uán?

Este tono es demasiado oscuro (claro)
This tone is too dark (pale)
Dis toun is tú dark (péil)

Deme un depilatorio suave
Give me a smooth hair remover
Guiv mi e smuz jéer rimóuver

¿Tiene algún desodorante eficaz?
Have you a good deodorant?
Jáv yu e gud diódorant?

Un esmalte de uñas rosa (rojo)
A rose (red) enamel
A róus (red) enámel

Quiero algo más discreto
I want something not so loud
Ai uónt samzin not sóu laud

Este perfume es demasiado fuerte. Prefiero agua de colonia
This perfume is too strong. I prefer Cologne water
Dis pérfium is tuu strong. I prifer Colóun uóter

FARMACIA

Calmante
Sedative
Sédatif

Laxante
Laxative
Láxatif

Esparadrapo
Sticking plaster
Stíkin pláster

Alcohol
Alcohol
Alcojol

Algodón en rama
Cotton wool
Cóton úul

Desinfectante
Desinfectant
Desinfectant

Pastillas
Tablets
Táblets

Jarabe
Cough mixture
Cáf míxcher

Píldoras
Pills
Pils

Tos
Cough
Cáf

Dolor de cabeza
Headache
Jédeik

Quemaduras de sol
Sunburn
Sanbern

Paños higiénicos
Sanitary towels
Sánitari táuels

Receta
Prescription
Priscrípshen

Termómetro
Thermometer
Zermómeter

Aspirina
Aspirin
Áspirin

Agua Oxigenada
Oxygenated water
Oxiyenéitid uóter

Cepillo de dientes
Toothbrush
Túuzbrash

Dentífrico
Tooth paste
Tuz péist

Brocha de afeitar
Shaving brush
Shéivin brash

Hojas de afeitar
Razor blades
Réiser bleids

Loción de afeitado
After shave
After shéiv

Acetona
Acetone
Asitoun

Deme jarabe (pastillas) para la tos
Give me some cough mixture (tablets)
Guiv mi san cáf míxcher (tablets)

Sin antibióticos (sulfamidas). Soy alérgico
Without antibiotics (sulfanilamide). I am allergic
Uizaut antibíotiks (sulfanilemid). Ai am aleryik

¿Tiene algo contra el insomnio? Que no sean barbitúricos
Have you anything for sleeplessness? Not barbituricals
Jáv yu énizin for slíplesnes? Not barbituricals

¿Tiene píldoras para el dolor de muelas?
Have you any pills to cure toothache?
Jáv yu eni pils tu kiur túuzeik?

Deme una crema contra las quemaduras del sol
Give me a cream to cure sunburn
Guiv mi e críim tu kiur sanbarn

Deme un buen linimento
Give me a good liniment
Guiv mi e gud liniment

¿Quiere servirme esta receta?
Please, dispatch this prescription
Plís, dispach dis príscripshen

Quiero unas pastillas contra el mareo
I want some pills to prevent seasickness
Ai uónt sam pils tu privént sisiknes

FOTOGRAFIA

Máquina fotográfica
Camera
Kámera

Visor
View-finder
Viu-fáinder

Película
Camera film
Kámera film

Enfoque
Focusing
Fókiusin

En color
Colour
Cálor

Objetivo
Lens
Lens

Trípode
Tripod
Tráipod

Filtro
Filter
Filter

Tamaño
Size
Sáis

Blanco y negro
Black and white
Blak and uáit

Disparador
Trigger
Tríguer

Ampliación
Enlargement
Inlarchment

Copia
Print
Print

Negativo
Negative
Negatif

Funda
Cover
Cáver

Haga el favor de darme tres rollos de película
Please give me three rolls of film
Plís guiv mi zri rols of film

¿De qué tamaño, por favor?
What size, please?
Uót sáis, plís?

Deme una película en color
Give me a colour film
Guiv mi e cálor film

Lo siento, se nos acaban de terminar
I am sorry; we are run out
Ai ám sórri; ui ar ran áut

Sírvase revelar este rollo y saque dos copias de cada fotografía
Please, develop this film with two prints of each photograph
Plis, divelop dis film uiz tu prints of ich fótograf

¿Puede ampliarme estas copias?
Can you enlarge these prints?
Can yu inlarch díis prints?

Quisiera comprar una máquina. ¿Qué marca me aconseja?
I want to buy a camera. What make do you recommend?
Ai uónt tu bai e cámera. Uót meik du yu ricoménd?

ALMACENES

Camisón Nightdress *Náitdres*	**Corbata** Tie *Tái*	**Cremallera** Zip *Sip*
Faja Corset *Córset*	**Falda** Skirt *Skert*	**Gafas de sol** Sun glasses *San glasis*
Guantes Gloves *Glavs*	**Impermeable** Raincoat *Réincout*	**Jersey** Pull-over *Pulover*
Liga Garter *Gárter*	**Medias (liga)** Stockings *Stókins*	**Pantalón** Trousers *Tráusers*
Pañuelo Handkerchief *Jánkerchif*	**Medias (pantys)** Tights *Táits*	**Paraguas** Umbrella *Ambrela*
Pendientes Earrings *Íierings*	**Pijama** Pajamas *Payamas*	**Pulsera** Bracelet *Bréislet*
Reloj Watch *Uótch*	**Sombrero** Hat *Jat*	**Sortija** Ring *Ring*
Sostén Bra *Brá*	**Traje (hombre)** Suit *Sut*	**Traje de baño** Bathing costume *Beídin cóstium*
Vestido (mujer) Dress *Dres*	**Algodón** Cotton *Cóton*	**Cuero** Leather *Léder*

EN LOS ALMACENES - AT THE SHOPS

Gamuza
Suede
Suéid

Hilo
Thread
Zred

Lana
Wool
Uul

Nilón
Nylon
Náilon

Rayón
Rayon
Réiyon

Seda
Silk
Silk

Amarillo
Yellow
Yélou

Añil
Indigo
Índigo

Azul
Blue
Blu

Beige
Beige
Beish

Blanco
White
Uáit

Gris
Grey
Grey

Malva
Mauve
Móv

Marrón
Brown
Bráun

Morado
Purple
Pérpel

Naranja
Orange
Órench

Negro
Black
Blak

Rojo
Red
Red

Rosa
Rose
Rous

Verde
Green
Gríin

Claro
Light
Láit

Oscuro
Dark
Dark

Moreno (de pelo)
Dark haired
Dark jéired

Rubio (de pelo)
Fair haired
Féir jéired

¿Dónde está la sección de camisería?
Where is the shirt department?
Uér is de shert dipartment?

En la planta baja
On the ground floor
On de graund flóor

Quiero dos camisas de color
I want two coloured shirts
Ai uónt tu cálord shirts

¿De qué talla, por favor?
What size, please?
Uót sáis, plís?

Las prefiero de popelín
I prefer poplin
Ai prífer poplin

La falda es demasiado larga (corta)
The skirt is too long (short)
De skert is túu long (short)

Pruébese esta talla mayor
Try this larger size
Trai dis lárcher sáis

¿Encogen al lavar?
Will they shrink in the wash?
Uil dey shrink in de uósh?

Enséñeme también corbatas y pañuelos
Show me some ties and handkerchiefs as well
Shou me sam tais and jankerchifs as uél

Estos son los últimos modelos que hemos recibido. Son inarrugables.
These are the latest fashion. They are crease proof
Dis ar de leítest fashen. Dey ar crís pruf

Las quiero menos chillonas
I want something not so loud
Ai uónt sámzin not sou láud

¿Cuánto vale esto?
How much does this cost?
Jáu mach das dis cost?

Es demasiado caro
It is too expensive (dear)
It is túu expensiv (dier)

¿Tiene algo más barato?
Have you anything cheaper?
Jáv yu énizin chíiper?

¿Cuánto vale el metro de esta tela?
How much does this cloth cost per meter?
Jáv mach das dis cloz coust per miter?

¿Puedo probarme este abrigo?
May I try this coat on?
Mei ai trai dis cóut on?

No me gusta este color
I do not like this colour
Ai dónt láik dis cálor

Los tenemos en todos los tonos
We have a number of different colours
Ui jáv e namber of diferent cólors

Quisiera esto en rosa
I should like this one in pink
Ai shud láik dis uán in pink

¿Pueden enviarme este paquete al hotel ...?
Can you send it to the hotel ...?
Can yu send it tu de jóutel ...?

REGALOS

Cenicero	**Pitillera**	**Cartera**
Ash-tray	Cigarette-case	Wallet
Ashtrei	*Sígaret-kéis*	*Uólet*
Bolso	**Estatua**	**Disco**
Handbag	Statue	Record
Jandbag	*Stachu*	*Récord*

Quisiera ver algunos regalos originales
Show me some original presents
Shou mi sam oríyinal présents

Estos bolsos son muy típicos
These handbags are very typical
Dis jandbags ar veri tipical

Me gusta este cenicero de cuero repujado
I like this ash-tray in embossed leather
Ai láik dis ashtrei in embosit léder

¿Podrían poner en él unas iniciales?
Can you initial it?
Can yu iníshel it?

¿No tiene algún objeto con el nombre de esta ciudad?
Have you anything with the name of the city on it?
Jáv yu énizin uiz de néim of de siti on it?

¿Cuánto cuesta esta figurita?
How much does this ornament cost?
Jáu mach das dis órnament coust?

Enséñeme algunos objetos de cerámica típicos
I should like to see some typical ceramics
Ai shud láik tu síi sam tipical siramics

JUGUETES

Muñeca	**Mecano**	**Pelota**
Doll	Meccano	Ball
Dol	*Mecano*	*Bol*
Patines	**Raquetas**	**Pila**
Roller-skates	Rackets	Dry battery
Róler-skéits	*Rákets*	*Drái bateri*

Quiero un juguete para un niño de ... años
I want a toy for a boy of ... years
Ai uónt e toi for e boi of ... yiers

Vea estas muñecas; no son demasiado caras
Look at these dolls; they are not too expensive
Luk at dis dolls; dey ar not túu expénsiv

¿Qué vale este coche de pilas?
How much does this battery car cost?
Jáu mach das dis báteri car coust?

Quiero algo más barato
I want something cheaper
Ai uónt samzin chíper

Creo que llevaré estos patines
I think I shall take these roller skates
Ai zink ai shal téik dis roler skéits

¿Tiene la bondad de enseñarme algún juego instructivo?
Please show me some educational toys
Plis shou mi sam ediukéishionel tóis

¿Es fácil de manejar este juguete?
Is this toy easy to handle?
Is dis toi ísi tu jándel?

¿Puede darme dos pilas de repuesto?
Can you give me two spare batteries?
Can yu guiv mi tu spér báteris?

ZAPATERIA

Zapato Shoe *Shu*	**Zapatillas** Slippers *Slípers*	**Ante** Suede *Sueid*
Charol Japan *Yapán*	**Sandalias** Sandals *Sandals*	**Suela** Sole *Soul*
Tacón Heel *Jíil*	**Crepé** Crepe *Crép*	**Goma** Rubber *Ráber*

Deseo un par de zapatos
I want a pair of shoes
Ai uónt e pér of shus

¿Cómo los quiere?
What kind do you want?
Uót káind du yu uónt?

De color negro, blanco, combinados
Black, white, two-colours
Blak, uáit, tu cálors

Con suela de goma, por favor
With rubber sole, please
Uiz ráber sóul, plis

Con tacón alto (bajo, delgado, grueso)
With a high (low, narrow, thick) heel
Uiz e jái (lóu, nárrou, zik) jíil

¿Qué número calza?
What size do you take?
Uót sáis du yu teik?

¿Le va bien éste?
Does this one fit you?
Das dis uán fit yu?

Creo que me aprietan un poco
I think they are a little narrow
Ai zink dey ar e litel nárrou

Pruébese este otro número
Try this size
Trai dis sáis

Este me está bien
This one fits well
Dis uan fits uél

¿De qué precio son?
What is their price?
Uót is dér prais?

ESTANCO

Estanco Tobacconist *Tobeiconist*	**Tabaco** Tobacco *Tobeico*	**Cerillas** Matches *Matchis*
Rubio Virginian *Viryinian*	**Negro** Dark *Dark*	**Emboquillado** Filter tip *Fílter tip*
Papel de fumar Cigarette paper *Sígaret péiper*	**Caja de puros** Box of cigars *Box of sígars*	**Paquete de cigarrillos** Packet of cigarettes *Paket of sígarets*

Pipa Pipe *Páip*	**Petaca** Pouch *Páuch*	**Pitillera** Cigarette-case *Sígaret-kéis*
Boquilla Cigarette-holder *Sígaret joulder*	**Mechero** Lighter *Láiter*	**Gasolina** Lighter fluid *Láiter flúid*

Deme un paquete de emboquillado
A packet of filter tipped cigarettes, please
E páket of filter tipt sígarets, plís

Deme también una caja de cerillas
Give me a box of matches as well
Guiv mi e box of matchis as uél

¿Puede enseñarme algunas pipas?
Can you show me some pipes?
Can yu shou mi sam páips?

Desearía una boquilla
I should like a cigarette holder
Ai shud láik e sígaret jóulder

Enséñeme tarjetas postales
Show me some postcards
Shou mi sam poustcards

Piedras para el mechero, por favor
Flints,please
Flints, plís

¿Puede cargarme este mechero de gas?
Can you fill this gas lighter?
Can yu fil dis gas laíter?

LIBRERIA

Revista	**Libro**	**Periódico**
Magazine	Book	Newspaper
Mágasin	*Buk*	*Niuspéiper*
Papel de cartas	**Sobre**	**Tinta**
Writing paper	Envelope	Ink
Ráitin péiper	*Énvelop*	*Ink*
Bolígrafo	**Novela**	**Guía**
Ball point pen	Novel	Guide
Bol point pen	*Nóvel*	*Gáid*
Mapa de carreteras	**Plano de la ciudad**	**Tarjeta postal**
Road map	Street plan	Postcard
Roud map	*Strit plan*	*Poustcard*

Deme un periódico de la mañana (de la tarde)
Give me the morning (evening) newspaper
Guiv mi de mornin (ívnin) niuspéiper

¿Tienen periódicos españoles?
Have you any Spanish papers?
Jáv yu eny spanish péipers?

Enséñeme algunas novelas policiacas
Show me some thrillers
Shou mi sam zrilers

¿Puede proporcionarme una guía de la ciudad y un mapa de carreteras?
Can you give me a guide and a road map?
Can yu guiv mi e gáid and e róud map?

Deme una revista ilustrada, por favor
Give me a magazine, please
Guív mi e magasin, plís

Me gustaría ver algunas postales
I should like to see some postcards
Ai shud láik tu si sam poustcards

FLORES

Azucena White lily *Uáit líli*	**Clavel** Carnation (Pink) *Carnéishen (Pink)*	**Gardenia** Gardenia *Gardínia*
Jazmín Jasmin *Yasmin*	**Lirio** Lily *Líli*	**Mimosa** Mimosa *Maimóus*
Nardo Tuberosa *Tiubróus*	**Orquídea** Orchid *Órkid*	**Rosa** Rose *Róus*
Tulipán Tulip *Tiúlip*	**Violeta** Violet *Váiolet*	**Pensamiento** Pansy *Pánsi*

Desearía encargar un ramo de flores
I should like to order a bouquet
Ai shud láik tu order e buké

Se trata de un regalo y quiero que sea hermoso
It is a present and I want it to be a nice one
It is e présent and ai uónt it tu bi e náis uán

Puede elegir entre rosas o claveles de varios colores
You can choose roses or carnations in several colours
Yu can chúus rousis or carnéishens in séveral cálors

¿Cuánto cuesta este ramo?
How much does this bouquet cost?
Jáu mach das dis buké cóust?

Prepararé un ramo en seguida
I shall arrange your bouquet immediately
Ai shal arrench yor buké imidiatli

¿Pueden enviarlo mañana a esta dirección?
Can you send it tomorrow to this address?
Can yu sent it tumórrou tu dis adrés?

Envíe también esta tarjeta, por favor
Send it with this card, please
Send it uiz dis card, plis

¿Puedo pagar con cheques de viaje?
Can I pay in traveller's checks?
Can ai pei in travelers cheks?

ESPECTACULOS Y DEPORTES

Si viaja por placer es lógico que trate de divertirse; si lo hace por negocios siempre le quedará alguna hora libre para amenizar su estancia en el extranjero. Algunas de las siguientes frases pueden ayudarle a desenvolverse en el cine, en el teatro, en una sala de fiestas...

CONCIERTOS

Música
Music
Miúsic

Clásico
Classical
Clásical

Jazz
Jazz
Yas

Opera
Opera
Ópera

Taquilla
Box (Booking) office
Box (Búking) ófis

Guardarropa
Cloakroom
Clóuk-rum

Acomodador
Usher
Asher

Orquesta
Orchestra
Orkestra

Deme dos palcos para el concierto de esta noche
Give me two boxes for this evening's concert
Guiv mi tu boxis for dis ívnins cónsert

Lo lamento: sólo tengo butacas de platea
I am sorry; I have only got stalls on the ground floor
Ai am sorri; ai jáv óunli got stóls on de gráund flóor

Un programa, por favor
A programme, please
E prógram, plis

¿Podría decirme qué ópera se representará el jueves?
Can you tell me which opera will be played on Thursday?
Can yu tel mi uich ópera uil bi pléid zérsdei?

TEATRO

Vestíbulo
Hall
Jól

Escenario
Stage
Stéich

Telón
Curtain
Kértein

Decorados
Scenery
Síneri

Bastidores
Scenery
Síneri

Apuntador
Prompter
Prómpter

Actor
Actor
Actor

Actriz
Actress
Actris

Comedia
Comedy
Cómedi

Melodrama
Melodrama
Melodrám

Acto
Act
Act

Entreacto
Interval
Interval

Aplausos
Applause
Aplos

Silbidos
Whistling
Uistling

Vaudevil
Vaudeville
Vódevil

Por favor dos butacas centrales
Two stalls in the centre, please
Tu stóls in de sénter, plis

¿Le va bien la fila 18?
Will row 18 be alright?
Uil róu 18(eitín) bi ólrait?

Demasiado lejos. Prefiero más cerca
Too far back, I should like something nearer
Túu far bak, ai shud láik samzin níerer

¿A qué hora comienza la función?
At what time does the show start?
At uót táim das de shou start?

¿Se trata de un drama o de una comedia?
Is it a drama or a comedy?
Is it e drama or e cómedi?

¿Cuánto dura el entreacto?
How long is the interval?
Jáu long is di ínterval?

Diez minutos. Pueden salir al vestíbulo o pasar al bar si lo desean
Ten minutes. If you want to, you can go to the hall or to the bar
Ten minits. If yu uónt tu, yu can góu tu de jól or tu de bar

CINE

Pantalla
Screen
Scrin

Tecnicolor
Technicolour
Tecnicálor

Cinemascope
Cinemascope
Sínemascoup

Documental
Documental
Dokíumental

Cartelera
Bill-board
Bil bóurd

Película
Film
Film

¿Qué película me recomienda para esta tarde?
What film do you recommend me for this evening?
Uót film du yu ricoménd mi for dis ívnin?

Me gustaría ver alguna película francesa
I should like to see a French film
Ai shud láik to sí e french film

En el cine ... dan una película de ...
The ... cinema is showing a film of ...
De ... sínema is shóuin e film of ...

Tiene un estreno en el cine ...
There is a première in ...
Der is e premier in ...

Acomodador, ¿podría decirme si hay descanso?
Usher, is there an interval?
Asher, is der an interval?

Sí, señor, entre el documental y la película
Yes sir, between the documental and the film
Yes ser, bituin de dokiumental and de film

¿Es bueno el documental?
Is the documental a good one?
Is de dokiumental e gud uán?

SALAS DE FIESTAS

¿Puede recomendarme una sala de fiestas que no sea demasiado cara?
Can you recommend me a night club which is not too expensive?
Can yu ricoménd mi e náit clab uich is not tu expénsiv?

Llévenos a una buena sala de fiestas
Take us to a good night club
Téik as tu e gúud náit clab

El traje de etiqueta es obligatorio
Dinner jacket must be worn
Díner yaket mast bi uórn

Una mesa para dos, por favor
A table for two, please
E téibel for tu, plís

¿A qué hora son las atracciones?
At what time does the show start?
At uót táim das de shou start?

¿Qué podemos tomar?
What can we have?
Uót can ui jáv?

¿Quiere concederme este baile?
May I have this dance?
Mei ai jáv dis dans?

¿Están incluidas las consumiciones?
Are the drinks included?
Ar de drinks incliudid?

¿Qué le debo?
How much is it?
Jau mach is it?

¿Qué autobús o metro puedo tomar a la salida?
Which bus or underground can I take at the end of the performance?
Uich bas or andergraund can ai teik at di end of de perfórmans?

PLAYA

Balsa	**Bote**	**Caseta**
Raft	Boat	Cabin
Raft	*Bóut*	*Cábin*
Arena	**Sombrilla**	**Ola**
Sand	Sunshade	Wave
Sand	*Sansheid*	*Uéiv*

Deseo alquilar una caseta
I want to hire a cabin
Ai uónt tu jáier e cábin

¿Hay duchas?
Are there any showers?
Ar der eni sháuers?

¿Dónde puedo alquilar una canoa?
Where can I hire a boat?
Uér can ai jáier e bóut?

¿Cuánto es?
How much is it?
Jáu mach is it?

¿Es peligroso bañarse aquí?
Is it dangerous to swim here?
Is it danyeres tu suim jíer?

Está prohibido alejarse de la orilla
It is forbidden to swim offshore
It is forbíden tu suim ofshor

La bandera roja indica peligro
The red flag means danger
De red flag mins déinyer

La arena está muy sucia
The sand is very dirty
De sand is veri derti

¿Se puede jugar aquí?
May we play here?
Mei ui plei jíer?

No, hay una zona reservada para juegos
No, there is a playing area
Nou, der is e pleing eria

DEPORTES

Ajedrez
Chess
Ches

Alpinismo
Mountaineering
Mauntainirin

Atletismo
Athletics
Azlétiks

Baloncesto
Basket-ball
Báskit-bol

Billar
Billiards
Biliards

Boxeo
Boxing
Bóxin

Esquí
Skiing
Skíin

Fútbol
Foot-ball
Fútbol

Golf
Golf
Golf

Natación
Swimming
Suimin

Pesca
Fishing
Fishin

Tenis
Tennis
Ténis

¿Hay algún partido de fútbol?
Is there any foot-ball match?
Is der eni fútbol mach?

¿Será fácil encontrar entradas?
Will it be easy to get tickets?
Uil it bi isi tu guét tíkets?

CAMPING

Terreno
Site
Sáit

Mapa
Map
Map

Piquete
Peg
Peg

Cacerola
Saucepan
Sóspan

Tienda
Tent
Tent

Lámpara
Lamp
Lamp

Gas
Gas
Gas

Colchoneta de aire
Air mattress
Éer mátres

Remolque
Caravan
Cárvan

Sacacorchos	**Abrelatas**	**Enchufe**
Corkscrew	Tin opener	Electric point
Corkscrú	*Tin oupener*	*Electric point*

¿Pueden indicarme cuáles son los campings más próximos?
Where are the nearest camping sites?
Uér ar de níerest campin sáits?

¿Está en la playa? ¿En la montaña?
Is it near the sea? In the mountains?
Is it níer de síi? In de mauntains?

¿Cuál es el precio de la acampada?, ¿por persona?
Which is the camping fee?, per person?
Uich is de campin fii?, per person?

¿Cuánto paga el automóvil? ¿Y el remolque?
What is the car fee? And the caravan?
Uót is de car fii? And de carvan?

¿Hay tomas eléctricas?, ¿agua potable?
Are there any electric points?, fresh water?
Ar der eni electric points? fresh uóter?

¿Dónde puedo hacer mis compras?
Where can I do my shopping?
Uér can ai du mai shópin?

¿Podemos hacer fuego?
Can we light a fire?
Can ui láit e fáier?

RELACIONES SOCIALES

Visitar un país y no tratar a sus habitantes es tanto como ojear una colección de tarjetas postales. Aproxímese a los ingleses: su natural cortesía será aún mayor si usted facilita el acercamiento hablándoles en su propio idioma.

CONVERSACION

Me llamo ...
My name is ...
Mai néim is ...

¿Cómo está usted?
How are you?
Háu ar yu?

Mucho gusto en conocerle
Pleased to meet you
Plist tu míit yu

Le presento a mi esposa
This is my wife
Dis is mai uáif

Discúlpeme
Excuse me
Exkius-mi

No importa
It does not matter
It das'nt máter

¿Le gusta nuestra ciudad?
Do you like it here?
Du yu láik it jíer?

Me ha encantado
I like it very much
Ai láik it veri mach

¿Le puedo ayudar?
May I help you?
Mei ai jelp yu?

¿Hasta cuándo se queda usted?
When are you leaving?
Uén ar yu líivin?

Estaré tres días (una semana, un mes)
I am here for three days (a week, a month)
Ai am jíer for zri deis (e uik, e manz)

¿En qué hotel está hospedado?
Where are you staying?
Uér ar yu stéing?

Estoy en el hotel ...
I am staying at ... hotel
Ai am stéing at ... jóutel.

¿Un cigarrillo?
Would you like a cigarette?
Ud yu láik e sígaret?

Con mucho gusto
Yes, thank you
Iés, zénkiu

Por favor
Please
Plís

¿Desea tomar algo?
Would you like a drink?
Ud yu láik e drink?

Gracias
Thank you
Zénkiú

Sírvase usted
Help yourself
Jelp yorself

¡A su salud!
To your health! (Cheers!)
Tu yor jélz! (Chíers!)

Muchos recuerdos
(With) best regards
(Uiz) best rigards

Muchas felicidades
Best wishes
Best uíshis

Felicidades
Congratulations
Congratiuleishens

¡Felices Pascuas!
Merry Christmas!
Merri crismas!

¡Feliz Año Nuevo!
Happy New Year!
Jápi niu yier!

Buena suerte
Good luck
Guud lak

Lo siento
I am sorry
Ai am sorri

¿Quiere usted bailar?
May I have the pleasure of this dance?
Mei ai jáv de plésher of dis dáns?

¿Desea algo?
Do you want something?
Do yu uónt samzin?

¿Juega usted al tenis?
Do you play tennis?
Du yu plei ténis?

¿Le gusta nadar?
Do you like swimming?
Du yu láik súimin?

¿Cuál es su dirección?
What is your address?
Uót is yor adrés?

¿Cuál es su teléfono?
Which is your phone number?
Uich is yor foun námber?

Siéntese, por favor
Sit down, please
Sit dáun, plís

Nos hemos divertido mucho
We have enjoyed it very much
Ui jáv enyoid it veri mach

¡Qué bonito!
That is very nice!
Dat is veri náis!

¡Esto es maravilloso!
It is wonderful!
It is uánderful!

Es muy triste
It is very sad
It's veri sad

¡Qué lástima!
What a pity!
Uót e piti!

Le escribiremos
We shall write to you
Ui shal ráit tu yu

Estamos a su disposición
We shall look forward to hearing from you
Ui shal luk foruord tu jíerin from yu

No comprendo
I do not understand
Ai do'nt anderstand

Hable usted más despacio, por favor
Speak slowly, please
Spik slóuli, plís

Por favor, escríbamelo
Write it down, please
Ráit it dáun, plis

¿Habla usted francés?
Do you speak French?
Du yu spik french?

LA FAMILIA

Abuelo Grandfather *Grand fáder*	**Abuela** Grandmother *Grand máder*	**Abuelos (matrimonio)** Grandparents *Grand pérents*
Padre Father *Fáder*	**Madre** Mother *Máder*	**Padres (matrimonio)** Parents *Pérents*
Marido Husband *Jásband*	**Mujer** Wife *Uáif*	**Esposos** Couple *Cápel*
Hijo Son *Son*	**Hija** Daughter *Dóter*	**Hijos** Children *Children*
Nieto Grandson *Grándson*	**Nieta** Granddaughter *Grandóter*	**Nietos** Grandchildren *Grandchildren*
Tío Uncle *Ankel*	**Tía** Aunt *Ant*	**Primo, a** Cousin *Cásin*
Sobrino Nephew *Néfiu*	**Sobrina** Niece *Nis*	**Novio** Boyfriend *Boifrend*

Novia Girlfriend *Gerlfrend*	**Amigo** Friend *Frend*	**Hermano** Brother *Bráder*
Hermana Sister *Síster*		

LA HORA

Hora Hour *Áuer*	**Minuto** Minute *Mínit*	**Segundo** Second *Sécont*
Reloj de pared Clock *Clok*	**Reloj de pulsera** Watch *Uóch*	**Atrasa** It loses *It luses*
Adelanta It gains *It gueins*	**Media hora** Half an hour *Jáf an áuer*	**Cuarto de hora** Quarter of an hour *Cuóter of an áuer*
Mediodía Noon *Nún*	**Medianoche** Midnight *Midnáit*	**Mañana** Morning *Mórnin*
Tarde (hasta las 18 h.) Afternoon *Afternun*	**Tarde (desde 18 h.)** Evening *Ivnin*	**Noche** Night *Náit*

¿Qué hora es? What time is it? *Uót táim is it?*	**Son las cinco** It is five o'clock *It is fáiv o'clok*

Las tres y diez
Ten past three
Ten past zri

Las dos y cuarto
A quarter past two
E cuóter past tu

Las seis y media
Half past six
Jáf past six

Las diez menos cuarto
A quarter to ten
E cuóter tu ten

Mi reloj se atrasa
My watch loses
Mai uóch luses

Mi reloj adelanta
My watch gains
Mai uóch gueins

Es demasiado pronto (tarde)
It is too soon (late)
It is tuu sun (leit)

Es hora de ir a la cama
It is time to go to bed
It is taim tu gou tu bed

Es hora de levantarse
It is time to get up
It is taim tu guetap

¿A qué hora le espero?
At what time must I wait for you?
At uót táim mast ai uéit for yu?

CALENDARIO

Día Day *Dei*	**Semana** Week *Uik*	**Mes** Month *Mánz*
Año Year *Íer*	**Siglo** Century *Sénchuri*	**Hoy** Today *Tudei*
Ayer Yesterday *Iésterdei*	**Mañana** Tomorrow *Tumórrou*	**Anteayer** The day before yesterday *De déi bifor iéster-dei*
Año bisiesto Leap year *Líp íer*	**Semanal** Weekly *Uíkli*	
Año Nuevo New Year's Day *Niu iérs dei*	**22 Febrero** Washington's Birthday (USA) *Uósintons bérzdei*	**Viernes Santo** Good Friday *Gúd Fráidei*
Pascua Easter *Íster*	**Pentecostés** Whitsuntide *Uít-santaid*	**30 Mayo** Memorial Day (USA) *Memóurial dei*

4 Julio	**Día festivo**	**11 Noviembre**
Independence Day (USA)	Bank Holiday (G.B.)	Veteran's Day (USA)
Indepéndans dei	*Bank Jólidei*	*Véterans dei*
27 Noviembre	**Navidad**	**26 Diciembre**
Thanksgiving Day (USA)	Christmas	Boxing Day (G.B.)
Zanksguivin dei	*Crismas*	*Bóxin dei*

Lunes	Monday	*Mándei*
Martes	Tuesday	*Tiúsdei*
Miércoles	Wednesday	*Uénsdei*
Jueves	Thursday	*Zérsdei*
Viernes	Friday	*Fráidei*
Sábado	Saturday	*Sáterdei*
Domingo	Sunday	*Sándei*

Enero	January	*Yánuari*
Febrero	February	*Fébruari*
Marzo	March	*March*
Abril	April	*Eipril*
Mayo	May	*Mei*
Junio	June	*Yun*
Julio	July	*Yúlai*
Agosto	August	*Ógost*
Septiembre	September	*Septémber*
Octubre	October	*Octóber*
Noviembre	November	*Novémber*
Diciembre	December	*Disémber*

Primavera	Spring	*Sprín*
Verano	Summer	*Sámer*

Otoño	Fall (U.S.A.), Autumn	*Fol* *Ótom*
Invierno	Winter	*Únter*

¿Qué día es hoy?
What is the day today?
Uót is de dei tudei?

El lunes pasado
Last Monday
Last mándei

El jueves próximo
Next Thursday
Next zérsdei

1 de Marzo
The first of March
De ferst of march

15 de Mayo
The fifteenth of May
De fiftinz of méi

PELUQUERIA

Peluquero
Hairdresser
Jéer dréser

Tijeras
Scissors
Sísors

Cepillo
Brush
Brash

Secador
Dryer
Dráier

Loción
Lotion
Loshien

Masaje
Scalp massage
Scalp masásh

Lavado de cabeza
Shampooing
Shampúin

Peinado
Set
Set

Corte
Hair cut
Jéer cat

Teñido
Tinted
Tínted

Permanente
Permanent wave
Pérmanent uéiv

Afeitar
Shave
Shéiv

Manicura
Manicure
Mánikiur

Flequillo
Fringe
Frinch

Raya
Parting
Pártin

SEÑORAS

¿Dónde hay una peluquería?
Where can I find a hair-dresser?
Uér can ai faind e jéer-dréser?

Lavar y peinar, por favor
I want my hair washed and set
Ai uónt mai jéer uóst end set

¿Le corto un poco?
Shall I cut off a little?
Shal ai cat of e litel?

No me deje muy corto de arriba (de los costados)
Not too much off the top (sides)
Not tuu mach of de top (sáids)

¿Cómo quiere que le peine?
How shall I set your hair?
Jáu shal ai set yor jéer?

Todo hacia atrás, sin raya
All backwards, without any parting
Ol bákuors, uizaut eni partin

Con la raya un poco más alta
The parting a little higher
De pártin e lítel jáier

Como a usted le parezca
As you want
As yu uónt

¿Podría teñirme el pelo?
Can you tint my hair?
Can yu tint mai jéer?

¿Del mismo color?
Same colour?
Séim cálor?

Un poco más oscuro (claro)
A little darker (lighter)
E lítel darker (láiter)

El agua está demasiado fría (caliente)
The water is too cold (hot)
De uóter is tuu could (jot)

Deseo una manicura
I want a manicure
Ai uónt e mánikiur

Deme el periódico (una revista), por favor
Give me the newspaper (a magazine), please
Guiv mi de niuspéiper (e magasin), plís

CABALLEROS

Un corte de pelo y un afeitado
A hair cut and a shave
E jéercat and e shéiv

No demasiado corto
Not too short
Not tuu short

Corte más de atrás
Cut more off the back
Cat mor of de bak

¿Dónde quiere que le haga la raya?
Where shall I make the parting?
Uér shal ai meik de pártin?

Al lado izquierdo (derecho)
On the left (right) side
On de left (ráit) sáid

No me afeite a contrapelo
Do not shave me upwards
Do'nt shéiv mi apuors

¿Qué le debo por todo?
How much is it altogether?
Jáu mach is it oltugueder?

EL MEDICO

Deseamos que usted no tenga nunca necesidad de recurrir a este apartado. Pero si una molestia o indisposición pasajera amenazan con amargarle su viaje, no dude en utilizarlo para solventar cuanto antes su problema.

MEDICO

Doctor Doctor *Dóctor*	**Enfermo** Ill, sick *Il, sik*	**Fiebre** Temperature *Témperacher*
Dolor Pain *Pein*	**Escalofríos** Shívers *Shivers*	**Corte** Cut *Cat*
Contusión Bruise *Brus*	**Quemadura** Burn *Bern*	**Herida** Wound *Uúnd*
Resfriado Cold *Could*	**Indigestión** Indigestion *Indiyéstion*	**Náuseas** Nausea *Nósea*

Estoy enfermo
I am ill
Ai am il

Llame a un médico, por favor
Call a doctor, please
Col e dóctor, plis

¿Dónde le duele?
Where does it hurt?
Uér das it jért?

Me duele aquí
I have a pain here
Ai jáv e pein jíer

En la cabeza, en el pecho
In the head, in the chest
In de jed, in de chest

Tengo fiebre
I have a temperature
Ai jáv e témperacher

Estoy muy resfriado
I have a bad cold
Ai jáv e bad could

Me duele el estómago después de la comida
I have stomachache after meals
Ai jáv stómakeik after mils

Quítese la ropa, por favor
Undress, please
Andrés, plís

¿Ha tenido enfermedades graves?
Have you had any bad illness?
Jáv yu jad eni bad ilnes?

Soy alérgico, diabético
I am allergic, diabetic
Ai am áleryic, daiábetic

Respire, espire, tosa, saque la lengua
Breathe, exhale, cough, put out your tongue
Bríz, ekxséil, cáf, put aut yor tang

Ya basta
That's enough
Dats ináf

¿Desde cuándo está usted enfermo?
How long have you been ill?
Jáu long jáv yu bin il?

Hace dos días
For two days
For tu déis

¿Es grave? ¿Está roto?, ¿torcido?
Is it bad? Is it broken?, sprained?
Is it bad? Is it brouken?, spréint?

Debe quedarse en cama dos o tres días
You must stay in bed for two or three days
Yu mast stei in bed for tu or zri deis

Voy a recetarle inyecciones
I will prescribe you some injections
Ai uil priscráib yu sam inyéksehns

Tome estas pastillas, una cada tres horas
Take one of these pills every three hours
Téik uán of dis pils éveri zríi áuers

EL DENTISTA

¿Dónde puedo encontrar un dentista?
Where can I find a dentist?
Uér can ai faind e dentist?

Me duele este diente, esta muela
This tooth hurts
Dis tuz jerts

Será preciso sacarla
I must extract it
Ai mast extrákt it

No me la saque. Si es posible deme un calmante
Do not extract it. If possible give me something to remove the pain
Do'nt extrákt it. If pósibel guiv mi samzin tu rimúv de péin

Se le ha caído el empaste
The filling has fallen out
De fílin has fólen aut

¿Puede empastármelo en seguida?
Can you fill it at once?
Can yu fil it at uáns?

EL CUERPO HUMANO

Cabeza Head *Jéd*	**Oreja** Ear *Íer*	**Ojo** Eye *Ai*
Nariz Nose *Nóus*	**Boca** Mouth *Máuz*	**Ceja** Eyebrow *Áibrau*
Pestañas Eyelash *Ailash*	**Párpados** Eyelid *Áilid*	**Cuello** Neck *Nek*

Garganta Throat *Zróut*	**Hombro** Shoulder *Shóulder*	**Brazo** Arm *Arm*
Codo Elbow *Élbou*	**Antebrazo** Forearm *Fórarm*	**Mano** Hand *Jánd*
Dedo Finger *Fínguer*	**Uña** Nail *Néil*	**Cadera** Hip *Jip*
Muslo Thigh *Zái*	**Rodilla** Knee *Níi*	**Pierna** Leg *Leg*
Muñeca Wrist *Rist*	**Pie** Foot *Fúut*	**Pies** Feet *Fíit*
Pulmón Lung *Lang*	**Corazón** Heart *Járt*	**Estómago** Stomach *Stómak*
Hígado Liver *Líver*	**Riñones** Kidneys *Kídnis*	**Tobillo** Ankle *Ankel*
Vesícula Vesicle *Vesikel*	**Venas** Veins *Véins*	**Arterias** Arteries *Árteris*

TELEFONO

No se asuste. Tal vez usted necesite telefonear a una persona que conoce el español, pero antes ha de cruzar una pequeña barrera: la secretaria, la doncella... alguien, en fin, con quien tenga que ensayar sus dotes lingüísticas. Repase este pequeño apartado y se encontrará en la mejor situación para superar tales dificultades.

Quiero telefonear a ...
I want to make a call to ...
Ai uónt tu méik e col tu ...

Señorita, póngame con ...
Operator, get me ...
Operéitor, guet mi ...

La línea está ocupada
The line is engaged
De láin is ingueicht

No contestan
There is no reply
Der is nou riplái

Se ha equivocado
You have got the wrong number
Yu jáv got de rong námber

Vuelva a llamar
Ring again
Ring eguén

¿Con quién hablo?
Who is speaking?
Ju is spikin?

Soy el Sr ... quisiera hablar con el Sr ...
I am Mr. ... I want to speak to Mr. ...
Ai am míster ... Ai uónt tu spík tu míster ...

No cuelgue
Hold the line
Jóuld de láin

Ha salido
He is out
Ji is aut

¿A qué hora volverá?
At what time will he return?
At uót táim uil ji ritérn?

¿A qué número puedo llamarle?
At what number can I reach him?
At uót námber can ai rich jim?

Marque el número ...
Ring number ...
Ring námber ...

¿Quiere usted tomar un recado?
Will you take a message?
Uil yu teik e mésech?

Dígale que ha llamado el Sr ...
Tell him that Mr ... has called
Tel jim dat míster ... jas cold

Dígale que me llame al número ...
Ask him to call me, number ...
As jim tu col mi, námber ...

Estaré en la ciudad hasta el sábado
I will be in town until Saturday
Ai uil bi in taun antil sáterdei

CORREOS

Carta
Letter
Léter

Sello
Stamp
Stamp

Buzón
Pillar box
Pílar box

Tarjeta postal
Postcard
Póustcard

Lista de correos
Poste restante
Póust réstant

Papeles de negocios
Business papers
Bísnis péipers

Correos
Post office
Póust ófis

Telegrama
Telegram
Télegram

Ventanilla
Window
Uíndou

Urgente
Urgent
Éryent

Paquete postal
Parcel post
Pársel póust

Palabra
Word
Uérd

Dirección
Address
Ádres

Sobretasa
Excess amount
Eksés amaunt

Sobre
Envelope
Énvelop

Lacre
Sealing-wax
Síling-uóx

¿Para ir a Correos, por favor?
The post office, please
De póust ófis, plís?

Franquee esta carta
Post this letter
Póust dis léter

¿Cuál es el franqueo de una carta certificada?
What is the postage for a registered letter?
Uót is de póusteich for e reyisterd léter?

¿Cuál es el franqueo para España?
What is the postage to Spain?
Uót is de pousteich tu spein?

¿Y el franqueo por avión?
And the air mail postage?
And di er meil póusteich?

Sírvase certificar esta carta
Please register this letter
Plís reyíster dis léter

Sírvase lacrar esta carta
Please seal this letter
Plís sil dis léter

¿Dónde está el servicio de Telégrafos?
Where is the telegram office?
Uér is de télegram ófis?

¿Cuánto cuesta una palabra?
How much is it per word?
Jáu mach is it per uérd?

Quiero enviar este paquete postal
I want to send this parcel post
Ai uónt tu send dis pársel póust

¿Desea usted asegurarlo?, ¿certificarlo?
Do you want it insured?, registered?
Du yu uónt it inshuérd?, reyístered?

¿Hay carta para mí en la lista de correos?
Is there any letter for me at the poste restante?
Is der eni léter for mi at de póust réstant?

¿Qué documentos necesito para retirar un paquete postal?
What documents do I need to collect a package?
Uót dókiuments du ai nid to colékt e pákech?

Basta con su pasaporte
Your passaport will be enough
Yor pasport uil bi ináf

BANCO

Por favor, ¿para cambiar moneda?
Where can I change my money?
Uér can ai cheinch mai máni?

Ventanilla número ...
Counter (window) number ...
Cáunter (uíndou) namber ...

¿Cuál es el cambio de la peseta?
What is the rate for the peseta?
Uót is de reit for de pesita?

Sus documentos, por favor
Your documents, please
Yor dókiuments, plís

Firme aquí
Sign here
Sain jíer

¿Puede cambiarme este cheque de viaje?
Can you change this traveller's cheque?
Can yu chéinch dis trávelers chek?

Por favor, deme moneda fraccionaria
Give me small change
Guiv mi smól chéinch

¿Podría decirme si han recibido una transferencia de ...?
Have you received a transfer from ...?
Jáv yu risivd e transfer from ...?

A nombre de ...
Addressed to ...
Adrésid tu ...

Aún no, señor
Not yet, sir
Not yet, ser

¿Puedo cobrar este cheque al portador?
Can I cash this bearer cheque?
Can ai cash dis berer chek?

No aceptamos cheques de particulares
We do not take personal cheques
Ui du not téik pérsonal cheks

Pase a caja, por favor
Go to the cash counter, please
Góu tu de cash cáunter, plis

Deme billetes pequeños
Give me small notes
Guiv mi smol nóuts

OFICINAS PUBLICAS

Parlamento Parliament *Párliment*	**Cámara Alta** House of Lords (Upper House) *Jáus of lords (Aper jáus)*	**Cámara Baja** House of Commons (Lower House) *Jáus of cómons (Lóuer jáus)*
Ministerio Cabinet *Cábinet*	**Juzgado** Court *Córt*	**Diputación** County council *Cáunti cáunsel*
Alcaldía Town hall *Táun jol*	**Comisaría** Police station *Polís stéishen*	**Catedral** Cathedral *Cazídral*
Iglesia Church *Cherch*	**Capilla** Chapel *Chápel*	**Palacio** Palace *Pálas*
Castillo Castle *Kásel*	**Obispado** Bishopric *Bishop'ric*	**Museo de Bellas Artes** Fine Arts Museum *Fain arts miuseam*
Correos Post office *Póust ofis*	**Bolsa** Stock exchange *Stok exchéinch*	**Cámara de Comercio** Chamber of Commerce *Chéimber of cómers*

LA DENUNCIA

Policía Police *Polís*	**Atraco** Mugging *Máging*	**Embajada** Embassy *Émbasi*
Comisaría Police Station *Polís stéishon*	**Estafa** Swindle *Suíndel*	**Pasaporte** Passport *Páspor*
Agente de policía Police Officer *Polisófiser*	**Bolso** Handbag *Jándbag*	**Abogado** Lawyer *Lóyer*
Robo Theft *Zeft*	**Cartera** Wallet *Uólet*	**Trámite** Process *Próses*

Quiero hacer una denuncia, porque me han robado, atracado, estafado..., etc.
I want to report to the police that I have been robbed, mugged, swindled..., etc.
Ai uónt tu ripórt tu de polís dat ai jáv bín robt, magt, suindeld ... etc.

¿Cuál es el número de teléfono de la policía?
What is the police telephone number?
Uót is de pólis télefoun námber?

¿Dónde está la comisaría más próxima?
Where is the nearest police station?
Uér is de níirest polís stéishon?

Taxi, lléveme a la comisaría más cercana
Taxi, take me to the nearest police station
Taxi, teik mi tu de níirest polís stéishon

Agente, vengo a poner una denuncia
Officer, I have come to report a ...
Ófiser, ai jáv cam tu ripórt ei ...

He sido víctima de una estafa
I have been the victim of a swindle
Ai jáv bín de víktim of e suindel

Me han robado el bolso/cartera
My handbag/wallet has been stolen
Mai jándbag/úolet jas bin stolen

Me han golpeado
I have been assaulted
Ai jáv bín asólted

Me ha desaparecido el pasaporte
My passport has disappeared
Mai pásport jas disapierd

Me han cobrado de más en el restaurante
I have been overcharged in the restaurant
Ai jáv bín ouvercharcht in de réstoran

He tenido un accidente de automóvil
I have had a car accident
Ai jáv jad e car áksident

¿Cómo debo cumplimentar la denuncia?
How should I fill out the report?
Jau shud ai fil aut de ripórt?

¿Que trámites debo seguir?
What procedures do I have to go through?
Uót prosidiurs du ai jáv tu gou zru?

¿Debo consultar a un abogado?
Should I consult a lawyer?
Shud ai counsált a lóyer?

¿Debo acudir a mi embajada?
Should I go to my embassy?
Shud ai go tu mai émbasi?

¿Se trata de un trámite muy complicado?
Is it a very complicated process?
Is it e véri cómplikeited próses?

DICCIONARIO ESPAÑOL-INGLES

Abajo. Down. *Dáun*

Abanico. Fan. *Fan*

Abogado. Lawyer. *Lóyer*

Abierto. Open. *Óupen*

Abrelatas. Can opener (Tin opener). *Kan óupner. (Tín óupner)*

Abrigo. Coat. *Cóut*

Abrir. Open. *Óupen*

Absolutamente. Absolutely. *Absolútli*

Absoluto. Absolute. *Absolút*

Acabar. Finish. *Fínish*

Academia. Academy. *Acádemi*

Acampar. Camp. *Camp*

Accidente. Accident. *Áksident*

Aceite. Oil. *Óil*

Aceituna. Olive. *Óliv*

Acento. Accent. *Áksent*

Aceptar. Accept. *Aksépt*

Acera. Pavement (Sidewalk). *Péivment (Sáiduok)*

Acomodador. Usher. *Asher*

Acompañar. Accompany. *Acómpani*

Acostarse. Go to bed. *Góu tu bed*

Acostumbrado. Used to. *Iúst tu*

Activo. Active. *Áctiv*

Actor. Actor. *Áctor* [*tiv*

Adjetivo. Adjetive. *Adyec-*

Admiración. Admiration. *Admiréishon*

Admitir. Admit. *Admit*

Adorable. Adorable. *Adórabel*

Aduanero. Customs officer. *Kastoms ófiser*

Afectuoso. Affectionate. *Afécshonet*

Afeitar. Shave. *Shéiv*

Aficionado. Fan. *Fan*

Afortunadamente. Fortunately. *Fórchunetli*

Agente. Agent. *Éiyent* [*sant*

Agradable. Pleasant. *Plé-*

Agradecer. Thank. *Zenk*

Agrio. Sour. *Sáuer*

Agua. Water. *Uóter*

Agudo. Sharp. *Sharp*

Aguja. Needle. *Nídel*

Agujero. Hole. *Jóul*

Ahogarse. Get drowned. *Guet dráunt*

Ahora. Now. *Náu*

Aire. Air. *Éer*

Ajo. Garlic. *Gárlic*

Alambre. Wire. *Uáier*

Alarma. Alarm. *Alárm*

Alcalde. Mayor. *Méyor*

Alcanzar. Reach. *Ríich*

Alcoba. Bedroom. *Bédrum*

Alcohol. Alcohol. *Alcojol*

Aldea. Village. *Vílech*

Alegre. Gay. *Guéi*

Alfabeto. Alphabet. *Alfabet*

Alfiler. Pin. *Pin*

Alfombra. Rug, carpet. *Rag, cárpet*

Algo. Something. Anything. *Sámzin. Énizin*
Algodón. Cotton. *Cóton*
Alimento. Food. *Fud*
Almendra. Almond. *Ámond*
Almidón. Starch. *Stárch*
Almirante. Admiral. *Ádmeral*
Almohada. Pillow. *Pílou*
Almorzar. Have lunch. *Jáv lanch*
Alojamiento. Lodging. *Lódchin*
Alquilar. Rent. *Rent*
Alrededor. Around. *Aráund*
Altar. Altar. *Óltar*
Alto. High. Tall. *Jái. Tol*
Alumno. Student. *Stiúdent*
Amable. Kind. *Káind*
Amanecer. Sunrise. *Sánrais*
Amar. Love. *Lav*
Amargo. Bitter. *Bíter*
Amarillo. Yellow. *Iélou*
Ambos. Both. *Bouz*
Ambulancia. Ambulance. *Ambíulans*
Amigo. Fríend. *Frend*
Amor. Love. *Lav*
Amortiguador. Shock absorber. *Shok absórber*
Ancho. Wide. *Uáid*
Andar. Walk. *Uóc*
Angel. Angel. *Éinyel*
Anillo. Ring. *Ring*
Animal. Animal. *Ánimal*
Anoche. Last night. *Last náit*
Anochecer. Get dark. *Guet dark*
Ansioso. Anxious. *Enkshos*
Anterior. Former. *Fórmer*
Antes. Before. *Bifór*
Antiguo. Ancient. *Éinshent*
Anuncio. Advertisement. *Advértisment*
Apellido. Last name. *Lást neím*
Aplazar. Postpone. *Pospóun*
Apreciar. Appreciate. *Apríshieit*
Aprender. Learn. *Lern*
Aproximadamente. Approximately. *Apróksimatli*
Araña. Spider. *Spáider*
Arbitro. Umpire. *Ampáier*
Arbol. Tree. *Tríi*
Arco. Arch. *Arch*
Arena. Sand. *Sand*
Armario. Cupboard. *Cápbord*
Arquitecto. Architect. *Arkitect*
Arroyo. Stream. *Strim*
Arte. Art. *Art*
Artificial. Artificial. *Artífishel*
Artista. Artist. *Ártist*
Arzobispo. Archbishop. *Archbishop*
Asado. Roast. *Róust*
Ascensor. Lift (Elevator). *Lift (Éleveitor)*
Asegurar. Insure. *Inshúer*
Asesinar. Murder. *Mérder*
Asiento. Seat. *Síit*
Asistir. Be present at. *Bi presént at*
Aspero. Rough. *Raf*
Asustar. Frighten. *Fráiten*
Aterrizar. Land. *Land*
Atraco. Mugging. *Máging*

Ausente. Absent. *Absent*
Autoridad. Authority. *Ozóriti*
Avanzar. Advance. *Ádvans*
Avergonzado. Ashamed. *Ashéimd*
Avería. Breakdown. *Bréikdaun*
Ayudar. Help. *Jelp*

Babor. Port. *Port*
Bahía. Bay. *Béi*
Baile. Dance. *Dans*
Bailar. Dance. *Dans*
Bajar. Come down. *Cam dáun*
Balanza. Scales. *Skéils*
Balcón. Balcony. *Bálkoni*
Ballena. Whale. *Uéil*
Bañarse. Bathe. *Béiz*
Baraja. Pack of cards. *Pak of cards*
Barba. Beard. *Bierd*
Barrer. Sweep. *Suíp*
Barrio. District. *Dístrict*
Basura. Garbage.Gárbech
Batalla. Battle. *Bátel*
Baúl. Trunk. *Trank*
Beber. Drink. *Drink*
Belleza. Beauty. *Biúti*
Beneficio. Profit. *Prófit*
Beso. Kiss. *Kis*
Biblioteca. Library. *Láibreri*
Bicicleta. Bicycle. *Báisikel*
Bigote. Mustache. *Másteish*
Bocina. Horn. *Jorn*
Bodega. Cellar. *Sélar*
Bolígrafo. Ball point. *Bol póint*
Bolsillo. Pocket. *Pókit*
Bolso. Handbag. *Jándbag*
Bombilla. Bulb. *Balb*
Borrasca. Squall. *Skuól*
Botella. Bottle. *Bátel*
Botiquín. First aid kit. *Ferst ed kit*
Botón. Button. *Báton*
Bragas. Panties. *Pántis*
Broma. Joke. *Yóuc*
Bronceado. Tanned. *Tán'd*
Brújula. Compass. *Cómpas*
Bufanda. Scarf. *Scárf*
Buho. Owl. *Ául*
Bujía. Spark plug. *Spark plag*
Burro. Donkey. *Danki*
Buscar. Look for. *Luk for*
Buzón. Letter box. *Léter box*

Caballero. Gentleman. *Yentelman*
Caballo. Horse. *Jors*
Cabello. Hair. *Jéer*
Cabeza. Head. *Jed*
Cable. Cable. *Kéibel*
Cacahuete. Peanut. *Pínat*
Caer. Fall. *Fol*
Caja. Box. *Box*
Cajón. Drawer. *Dróuer*
Calendario. Calendar. *Cálendar*
Calentar. Heat. *Jíit*
Calor. Heat. *Jíit*
Calidad. Quality. *Cuóliti*
Caliente. Hot. *Jot*
Cama. Bed. *Bed*
Camarote. Cabin. *Kábin*
Cambiar. Change. *Chéinch*
Cambio. Change. *Chéinch*

Camino. Road, way. *Róud, uéi*
Camión. Truck. *Trak*
Campana. Bell. *Bel*
Campesino. Peasant. *Pée-sant*
Canal. Canal. *Canál*
Canción. Song. *Song*
Cangrejo. Crab. *Crab*
Cantar. Sing. *Sing*
Cantidad. Quantity. *Cuón-titi*
Capilla. Chapel. *Chápel*
Cara. Face. *Féis*
Caracol. Snail. *Snéil*
Caramelo. Lollypop. *Lóli-pop*
Carbón. Coal. *Cóul*
Cárcel. Jail. *Yéil*
Carga. Freight, load. *Fréit, lóud*
Carta. Letter. *Léter*
Cartera. Wallet. *Uólet*
Cartero. Postman. *Póustman*
Casa. House. *Jáus*
Casado. Married. *Mérrid*
Castigar. Punish. *Pánish*
Castillo. Castle. *Kásel*
Catálogo. Catalogue. *Cáta-log*
Catarro. Cold. *Cóuld*
Católico. Catholic. *Kázolik*
Caucho. Rubber. *Ráber*
Caza. Hunting. *Jánting*
Cebolla. Onion. *Ánion*
Cementerio. Cemetery. *Sémetri*
Cena. Supper. Dinner. *Sá-per. Díner*
Cenicero. Ashtray. *Áshtrei*
Cepillar. Brush. *Brash*
Cerdo. Pig. *Pig*
Cerebro. Brain. *Bréin*
Cerilla. Match. *Match*
Cerradura. Lock. *Lok*
Ciego. Blind. *Bláind*
Cielo. Sky. Heaven. *Skái. Jéven*
Ciencia. Science. *Sáiens*
Científico. Scientific. *Saien-tífic*
Cierto. Certain. *Sérten*
Cima. Top. *Top*
Cinturón. Belt. *Belt*
Círculo. Circle. *Sérkel*
Cita. Appointment. *Apóint-ment*
Cobrador. Collector. *Coléc-tor*
Cola. Tail. *Téil*
Colchón. Mattress. *Mátres*
Colegio. School. *Scúul*
Comedor. Dining room. *Dáining rum*
Comenzar. Start. *Start*
Comerciante. Business-man. *Bísnisman*
Cómico. Funny. *Fáni*
Comida. Food. Meal. Din-ner. *Fud. Míil. Diner*
Comisaría. Police Station. *Póulis stéishon*
Comodidad. Comfort. *Cómfort*
Compañía. Company. *Cómpany*
Comparación. Compari-son. *Comparison*
Comprar. Buy. *Bái*
Comprender. Understand. *Anderstánd*

Común. Common. *Cómon*
Comunista. Communist. *Cómiunist*
Condición. Condition. *Condíshon*
Conducir. Drive. *Dráiv*
Conejo. Rabbit. *Rábit*
Conferencia. Lecture. *Lékcher*
Confuso. Confused. *Confiúsd*
Congelado. Frozen. *Fróusen*
Congreso. Congress. *Cóngres*
Conmigo. With me. *Uíz mi*
Conocer. Know. *Nóu*
Conseguir. Get. *Guet*
Consejo. Advice. *Adváis*
Considerar. Consider. *Consíder*
Consigna. Left luggage office. *Left lágguech ófis*
Consonante. Consonant. *Cónsonant*
Constipado. Cold. *Could*
Construir. Build. *Bild*
Cónsul. Consul. *Cónsul*
Contagioso. Infectious. *Infécshes*
Contar. Count. *Cáunt*
Contener. Contain. *Contéin*
Contento. Content. *Contént*
Contestación. Answer. *Ánser*
Continuar. Continue. *Contíniu*
Conversación. Conversation. *Converséishon*
Copa. Glass. *Glas*
Copia. Copy. *Cópi*
Corazón. Heart. *Jart*
Corbata. Tie. *Tái*
Corcho. Cork. *Cork*
Cortar. Cut. *Cat*
Cosa. Thing. *Zing*
Coser. Sew. *Sóu*
Costa. Coast. *Cóust*
Costilla. Rib. *Rib*
Costumbre. Custom. *Kástom*
Creer. Believe. *Bilíiv*
Criada. Maid. *Méid*
Cristiano. Christian. *Crístian*
Cruz. Cross. *Cros*
Cruz Roja. Red Cross. *Red Cros*
Cruzar. Cross. *Cros*
Cuaderno. Notebook. *Nóutbuk*
Cuadro. Picture. *Píkcher*
Cucaracha. Cockroach. *Cókrouch*
Cuchillo. Knife: *Náif*
Cuerda. Rope. *Róup*
Cuero. Leather. *Léder*
Culebra. Snake. *Snéik*
Culpa. Fault. *Folt*
Cumpleaños. Birthday. *Bérzdei*
Cura. Priest. *Prist*

Chaleco. Vest. *Vest*
Champaña. Champagne. *Shampáin*
Champú. Shampoo. *Shampú*
Chaqueta. Jacket. *Yáket*
Chicle. Chewing-gum. *Chúin gam*

Chocolate. Chocolate. *Chócoléit*
Choque. Collision. *Colíshon*

Dama. Lady. *Léidi*
Daño. Damage. *Dámeich*
Dar. Give. *Guiv*
Deber. Must. *Mast*
Debidamente. Properly. *Próperli*
Débil. Weak. *Uik*
Decidir. Decide. *Disáid*
Decir. Tell; say. *Tel, séi*
Declarar. Declare. *Diclér*
Dedo de la mano. Finger. *Fínguer*
Dedo del pie. Toe. *Tóu*
Dejar. Leave. *Líiv*
Delgado. Thin. *Zin*
Demasiado. Too much. *Tú mach*
Democracia. Democracy. *Dimócrasi*
Dentadura. Teeth. *Tiz*
Dentro. Inside. *Insáid*
Denunciar. Report. *Ripórt*
Dependiente. Clerk. *Clark*
Depósito. Deposit. *Dipósit*
Derechos. Rights. *Ráits*
Desafortunado. Unfortunate. *Anfórchuneit*
Desagradable. Unpleasant. *Anplisent*
Desagüe. Drainage. *Dréinech*
Desarrollar. Develop. *Divélop*
Descansar. Rest. *Rest*
Descompuesto. Out of order. *Áut of órder* [*cráib*
Describir. Describe. *Dis-*
Descuento. Discount. *Discáunt*
Desear. Wish. *Uísh*
Desempaquetar. Unpack. *Anpák*
Desengaño. Disappointment. *Disapóintment*
Deseo. Wish. *Uísh*
Desgracia. Misfortune. *Misforchen*
Desierto. Desert. *Désert*
Desigual. Uneven. *Aníven*
Desmayarse. Faint. *Féint*
Desmayo. Fainting. *Féintin*
Desnudo. Naked. *Néikit*
Desocupado. Not busy. *Not bísi*
Despacio. Slowly. *Slóuli*
Despedir. Dismiss. *Dismís*
Despegar. Take off. *Téik of*
Despertador. Alarm clock. *Alarm cloc*
Despierto. Awake. *Auéic*
Desprender. Come loose. *Cam lúus*
Desvestirse. Undress. *Andrés*
Detalle. Detail. *Díteil*
Detenerse. Stop. *Stop*
Deuda. Debt. *Det*
Diablo. Devil. *Dévil*
Diamante. Diamond. *Dáiamond* [*per*
Diario. Newspaper. *Niúspei-*
Diarrea. Stomach upset. *Stómak ápset*
Dibujar. Draw. *Dro*
Diccionario. Dictionary. *Dicshoneri*
Dichoso. Happy. *Jápi*

Diente. Tooth. *Tuz*
Diferencia. Difference. *Díferens*
Difícil. Difficult. *Díficalt*
Dimensión. Dimension. *Diménshen*
Dinero. Money. *Máni*
Dios. God. *God*
Director. Director. *Diréctor*
Dirigir. Direct. *Diréct*
Disco. Record. *Récord*
Disculpa. Excuse. *Ekskiús*
Disgustar. Displease. *Dísplíis*
Disparate. Nonsense. *Nánsens*
Disparo. Shot. *Shot*
Dispensar. Excuse. *Ekskiús*
Disponible. Available. *Avéilebel*
Dispuesto. Willing. *Uíling*
Disputar. Argue. *Arguíu*
Distinto. Different. *Díferent*
Distraído. Absent-minded. *Ábsent-máinded*
Distribución. Distribution. *Distribiushen*
Distrito. District. *Dístrict*
Diversión. Amusement. *Amiusment*
Divertirse. Enjoy oneself. *Enyói uansélf*
Dividir. Divide. *Diváid*
Divorcio. Divorce. *Divóurs*
Doble. Double. *Dábel*
Doctor. Doctor. *Dóctor*
Documento. Document. *Dókiument*
Dolor. Ache. Pain. *Éic. Pein*
Domicilio. Home. *Jóum*
Dormir. Sleep. *Slíip*
Dormitorio. Bedroom. *Bedrum*
Dosis. Dose. *Dóus*
Ducha. Shower. *Sháuer*
Duende. Ghost. *Góust*
Dueño. Owner. *Óuner*
Dulce. Sweet. *Suíit*
Duro. Hard. *Jard*

Echar. Throw. *Zrou*
Edad. Age. *Eich*
Edificar. Build. *Bild*
Edificio. Building. *Bíldin*
Educación. Education. *Ediukéishen*
Educado. Well-mannered. *Uel-mánered*
Efecto. Effect. *Eféct*
Ejemplo. Example. *Eksámpel*
Ejercicio. Exercise. *Éksersais*
Ejército. Army. *Ármi*
Elástico. Elastic. *Ilástic*
Elección. Choice. *Chóis*
Electricidad. Electricity. *Ilektrísiti*
Elefante. Elephant. *Élefant*
Elegir. Choose. *Chuus*
Embajada. Embassy. *Émbasi*
Embalaje. Packing. *Pákin*
Embarcarse. Embark. *Embárk*
Encargado. Attendant. *Atténdant*
Emoción. Emotion. *Emóushion*
Empalme. Coupling. *Cáplin*

Emperador. Emperor. *Émperor*
Empezar. Begin, start. *Biguín, start*
Empleado. Employee. *Emploií*
Empleo. Job. *Yob*
Empujar. Push. *Push*
Enaguas. Petticoat. *Péticout*
Encaje. Lace. *Léis*
Encendedor. Lighter. *Láiter*
Encender. Light. *Láit*
Encontrar. Meet. Find. *Míit. Fáind*
Encuentro. Meeting. *Mítin*
Enemigo. Enemy. *Énemi*
Energía. Energy. *Éneryi*
Enfermedad. Sickness. *Siknes*
Enfermera. Nurse. *Ners*
Enfermo. Ill. *Il*
Engañar. Deceive. *Disív*
Engaño. Trick. *Trik*
Engordar. Get fat. *Guet fat*
Engrasar. Grease. *Gríis*
Enojado. Angry. *Angri*
Enseñar. Teach. *Tíich*
Entender. Understand. *Anderstand*
Enteramente. Entirely. *Entáirli*
Entierro. Funeral. *Fiúneral*
Entreacto. Interval. *Intérval*
Entregar. Deliver. *Dilíver*
Entrevista. Interview. *Ínterviu*
Enviar. Send. *Send*
Envolver. Wrap. *Rap*
Equipo. Equipment. *Ecuípment*
Equivocado. Wrong. *Rong*
Equivocar. Mistake. *Mistéik*
Error. Error. *Érror*
Escalera. Stairs. *Stérs*
Escaparate. Shop window. *Shop uíndou*
Escape. Leak. *Líik*
Escaso. Scarce. *Skérs*
Escena. Stage. *Stéich*
Escoba. Broom. *Brúum*
Escocés. Scotch. *Scoch*
Escoger. Choose. *Chuus*
Escollo. Reef. *Rif*
Escribir. Write. *Ráit*
Escuchar. Listen. *Lísen*
Escuela. School. *Skúul*
Esmeralda. Emerald. *Émerold*
Espacio. Space. *Speis*
Espada. Sword. *Suord*
Esparadrapo. Adhesive tape. *Adjísiv teip*
Especial. Special. *Spéshal*
Especialidad. Speciality. *Spéshialty*
Espectáculo. Show. *Shou*
Espejo. Mirror. *Mírror*
Esperanza. Hope. *Jóup*
Esperar. Wait. *Uéit*
Espeso. Thick. *Zik*
Espina. Fish bone. *Fish bóun*
Esquina. Corner. *Córner*
Estafa. Swindle. *Suíndel*
Estatua. Statue. *Stachu*
Estrecho. Narrow. *Nerrou*
Estrella. Star. *Star*

Estreñimiento. Constipation. *Constipéishen*
Estribo. Stirrup. *Stírap*
Estropear. Damage. *Dámech*
Estudiante. Student. *Stíudent*
Estudiar. Study. *Stádi*
Etiqueta. Label. *Léibel*
Evidente. Obvious. *Ábvies*
Evitar. Avoid. *Avoíd*
Exacto. Exact. *Exáct*
Examen. Examination. *Examinéishon*
Excelente. Excellent. *Éxcelent*
Excepto. Except. *Exépt*
Excursión. Excursion. *Exkérshen*
Excusa. Excuse. *Exkiús*
Exito. Success. *Sacsés*
Explicar. Explain. *Expléin*
Exportar. Export. *Expórt*
Exposición. Exhibition. *Exibíshen*
Expreso. Express. *Exprés*
Extranjero. Foreigner. *Fórener*
Extraño. Strange. *Streinch*

Fábrica. Factory. *Fákchori*
Fácil. Easy. *Ísi*
Falso. False. *Fols*
Familia. Family. *Fámili*
Fango. Mud. *Mad*
Farmacia. Chemist's. *Kémists*
Faro. Beacon. *Bíkon*
Ficha. Index card. *Index-card*
Fiebre. Fever. *Fíver*
Fiesta. Party. *Párti*
Fijo. Fixed. *Fikst*
Filete. Steak. *Stéik*
Fin. End. *End*
Firmar. Sign. *Sáin*
Flojo. Loose. *Lúus*
Flor. Flower. *Fláuer*
Fondo. Bottom. *Bátom*
Forastero. Stranger. *Stréincher*
Forma. Form. *Form*
Fórmula. Fórmula. *Fórmiula*
Frasco. Bottle. *Bát'l*
Frecuentemente. Frequently. *Fríkuentli*
Freno. Brake. *Bréik*
Fresa. Strawberry. *Stróberri*
Fréjol. Bean. *Bíin*
Frío. Cold. *Kóuld*
Frito. Fried. *Fráid*
Frontera. Border. *Bórder*
Fruta. Fruit. *Frút*
Fuego. Fire. *Fáier*
Fuente. Fountain. *Fáuntein*
Fuerte. Strong. *Stron*
Fuerza. Power. *Páuer*
Función. Performance. *Perfórmans*
Fusil. Gun. *Gan*
Futuro. Future. *Fíucher*

Gabán. Overcoat. *Overcout*
Gabardina. Gabardine, raincoat. *Gabardín, réincout*
Gafas. Glasses. *Glasis*
Gala. Gala. *Gala*
Galaxia. Galaxy. *Gálaxi*
Galería. Gallery. *Gáleri*

Galón (medida). Gallon. *Gálon*
Galleta. Biscuit. *Bískit*
Gallina. Hen. *Jen*
Gamba. Prawn. *Pron*
Ganado. Cattle. *Kátel*
Garantizado. Guaranteed. *Garantíid*
Garganta. Throat. *Zróut*
Gas. Gas. *Gas*
Gastar. Spend. *Spend*
Gastos. Expenses. *Expénsis*
Gato. Cat. *Cat*
Generoso. Generous. *Yéneres*
Gente. People. *Pípol*
Geografía. Geography. *Yeógrafi*
Gerente. Manager. *Mána-* [*yer*
Ginebra. Gin. *Yin*
Gobierno. Government. *Gáverment*
Golpe. Blow. *Blou*
Gordo. Fat. *Fat*
Gorra. Cap. *Cap*
Gota. Drop. *Drop*
Grapa. Clamp. *Clamp*
Grifo. Tap. *Tap*
Gripe. Flu. *Flú*
Grito. Shout. *Sháut*
Grosero. Rude. *Rúud*
Guapo. Good-looking. *Gúdlúkin*
Guardar. Keep. *Kíip*
Guardia. Policeman. *Poulisman*
Guijarro. Pebble. *Péb'l*
Guisar. Cook. *Kúuk*
Guitarra. Guitar. *Guítar*
Gustar. Like. *Láik*
Haber. Have. *Jáv*
Habitación. Room. *Rúum*
Habitante. Inhabitant. *Injábitant*
Hablar. Speak. *Spíik*
Hacer. Make. *Méik*
Hambre. Hunger. *Jánguer*
Haya. Beech-tree. *Bichtri*
Helado. Ice-cream. *Aiscríim*
Hembra. Female. *Fímeil*
Herencia. Heritage. *Jériteich*
Herida. Wound, cut. *Uúnd, cat*
Héroe. Hero. *Jírou*
Hervir. Boil. *Bóil*
Hielo. Ice. *Áis*
Hierba. Grass. *Gras*
Hierro. Iron. *Aíren*
Higo. Fig. *Fig*
Hilo. Thread. *Zred*
Hispano-americano. Latin-American. *Laten-américan*
Hoja. Leaf. *Líif*
Hombre. Man. *Man*
Hombro. Shoulder. *Shóulder*
Homicida. Homicide. *Jómisaid*
Homónimo. Homonymous. *Jomónimus*
Hondo. Deep. *Díip*
Hongo. Mushroom. *Máshrun*
Honor. Honour. *Ónor*
Honorario. Honorary. *Ónoreri*
Honrado. Honest. *Ónest*

Horizontal. Horizontal. *Jorísontal*
Horno. Oven. *Óven*
Hospedaje. Lodging. *Lodchin*
Hospital. Hospital. *Jóspital*
Hospitalidad. Hospitality. *Jospitáliti*
Huelga. Strike. *Stráik*
Hueso. Bone. *Bóun*
Huída. Flight. *Fláit*
Hulla. Pit-coal. *Pit-cóul*
Humano. Human. *Jiúman*
Humo. Smoke. *Smóuk*
Húmedo. Wet. *Uet*
Huracán. Hurricane. *Jérrikein*

Idea. Idea. *Aidía*
Identificación. Identification. *Aidentifikéishon*
Idioma. Language. *Léngüich*
Idiota. Idiot. *Ídiet*
Iglesia. Church. *Cherch*
Igual. Equal. *Íkual*
Ilegal. Illegal. *Ilígal*
Ilustración. Ilustration. *Ilustréishen*
Imaginación. Imagination. *Imayinéishen*
Imán. Magnet. *Magnet*
Imitación. Imitation. *Imitéishen*
Imperdible. Safety-pin. *Séifti-pin*
Impermeable. Raincoat. *Réincout*
Incautar. Attach. *Atach*
Incidente. Incident. *Íncident*
Incluido. Included. *Inclúded*
Incoloro. Colourless. *Cálorles*
Incómodo. Uncomfortable. *Ancomfórteibel*
Incompleto. Incomplete. *Incomplít*
Indemnización. Indemnity. *Indémniti*
Independencia. Independence. *Indepéndans*
Indicar. Show. *Shóu*
Indigestión. Indigestion. *Indiyéstion*
Individuo. Individual. *Indivíyual*
Infierno. Hell. *Jel*
Injusto. Unfair. *Anfér*
Inmigración. Immigration. *Immigréishon*
Inocente. Innocent. *Ínocent*
Inquilino. Tennant. *Ténant*
Insecto. Insect. *Ínsect*
Insistir. Insist. *Insíst*
Inspeccionar. Inspect. *Inspéct*
Intelectual. Intellectual. *Intélekchuel*
Inteligente. Intelligent. *Intéliyent*
Intenso. Intense. *Inténs*
Interpretar. Interpret. *Intérpret*
Interruptor. Switch. *Suích*
Inundación. Flood. *Flad*
Inútil. Useless. *Iúsles*
Invalidez. Disablement. *Diséibelment*
Invasor. Invader. *Invéider*
Inventario. Repertory. *Répertori*

Investigar. Investigate. *Invéstigueit*
Inyección. Injection. *Inyecshen*
Ir. Go. *Gou*
Ira. Wrath. *Raz*
Iris. Iris. *Airis*
Ironía. Irony. *Aironi*
Irritar. Irritate. *Irritéit*
Isla. Island. *Ailand*
Izar. Hoist. *Jóist*

Jabón. Soap. *Soup*
Jamón. Ham. *Jam*
Jardín. Garden. *Gárden*
Jerarquía. Hierarchy. *Jáierarki*
Jerez. Sherry. *Shérri*
Jornalero. Workman. *Uérkman*
Joven. Young. *Iáng*
Joya. Jewel. *Yúel*
Júbilo. Joy. *Yoi*
Juego. Game. *Guéim*
Juez. Judge. *Yádch*
Jugar. Play. *Pléi*
Jugo. Juice. *Yus*
Juicio. Judgement. *Yádchment*
Justicia. Justice. *Yástis*
Justo. Just. *Yast*
Juvenil. Youthful. *Yáuzful*

Kilo. Kilogram. *Kílogram*
Kilociclo. Kilocycle. *Kílosaikel*
Kilovatio. Kilowatt. *Kílouot*
Kiosco. Kiosk. *Kiósk*

Laberinto. Labyrinth. *Lábrinz*
Labio. Lip. *Líp*
Labor. Labour. *Léiber*
Lacre. Sealing wax. *Síling uox*
Ladrón. Thief. *Zif*
Lagarto. Lizard. *Lísard*
Lago. Lake. *Léik*
Lamentar. Regret. *Rigrét*
Lámpara. Lamp. *Lamp*
Lana. Wool. *Uúl*
Langosta. Crayfish. *Créifish*
Lápiz. Pencil. *Pénsil*
Latino. Latín. *Látin*
Lavabo. Wash-basin. *Uóshbásen*
Lavandería. Laundry. *Lóndri*
Lavar. Wash. *Uósh*
Laxante. Laxative. *Láxativ*
Lección. Lesson. *Léson*
Leche. Milk. *Milk*
Lechuga. Lettuce. *Létes*
Leer. Read. *Ríid*
Lejos. Far. *Far*
Lengua. Tongue. *Tong*
Lento. Slow. *Slóu*
Leña. Fire-wood. *Fáier-úud*
León. Lion. *Láion*
Letrero. Sign. *Sáin*
Levantarse. Get up. *Guet ap*
Ley. Law. *Lou*
Leyenda. Legend. *Léyend*
Libertad. Liberty. *Líberti*
Libra. Pound. *Páund*
Libre. Free. *Fríi*
Libreta. Notebook. *Nóutbuk*
Libro. Book. *Búk*

Licencia. Licence. *Láisens*
Licor. Liquor. *Líker*
Liga. Garter. *Gárter*
Ligero. Light. *Láit*
Límite. Limit. *Límit*
Limón. Lemon. *Lémon*
Limonada. Lemonade. *Lémoneid*
Limpiar. Clean. *Clíin*
Lindo. Pretty. *Priti*
Lino. Linen. *Línin*
Linterna. Lantern. *Lántern*
Liso. Smooth. *Smuuz*
Lista. List. *List*
Litera. Bunk. *Bank*
Lobo. Wolf. *Uúlf*
Loco. Crazy. *Créisi*
Locomotora. Locomotive. *Locómotiv*
Locutor. Announcer. *Anáunser*
Loma. Hill. *Jil*
Lugar. Place. *Pléis*
Lujoso. Luxurious. *Lakshéries*
Lumbre. Light. *Láit*
Luna. Moon. *Mún*
Luto. Mourning. *Móurnin*
Luz. Light. *Láit*

Llaga. Sore. *Sór*
Llama. Flame. *Fléim*
Llamar. Call. *Col*
Llanura. Plain. *Plein*
Llave. Key. *Kíi*
Llegada. Arrival. *Arráivel*
Llenar. Fill. *Fil*
Llorar. Cry. *Crai*
Lloriqueo. Whimper. *Uímper*
Llover. Rain. *Rein*

Madeja. Hank. *Jank*
Madera. Wood. *Uúd*
Madrugar. Get up early. *Guet ap érli*
Maestro. Teacher. *Tícher*
Magnífico. Magnificent. *Magnífisent*
Maíz. Corn. *Córn*
Mal. Badly. *Bádli*
Maleta. Suitcase. *Síutkéis*
Maletín. Bag. *Bag*
Mancha. Stain. *Stein*
Mandar. Command. *Commánd*
Manga. Sleeve. *Slíiv*
Manivela. Handle. *Jándel*
Mantel. Tablecloth. *Téibelcloz*
Mantequilla. Butter. *Báter*
Mar. Sea. *Sii*
Marca. Mark. *Mark*
Marchar. Go away. *Gou euei*
Marea. Tide. *Táid*
Mármol. Marble. *Marb'l*
Martillo. Hammer. *Jámer*
Marqués. Marquis. *Márcuis*
Matar. Kill. *Kil*
Material. Material. *Matíriel*
Matrícula. Registration number. *Reyistréishen námber*
Mausoleo. Mausoleum. *Mósoliom*
Mayoría. Majority. *Mayóriti*

Mecanógrafo. Typist. *Táipist*
Medicina. Medicine. *Médisin*
Medida. Measure. *Mésher*
Mendigo. Beggar. *Bégar*
Mensaje. Message. *Mésech*
Mentira. Lie. *Lái*
Mercado. Market. *Márket*
Merienda. Lunch. *Lanch*
Metal. Metal. *Métal*
Meter. Put in. *Put in*
Mezclado. Mixed. *Mixt*
Mezquita. Mosque. *Mosk*
Miedo. Fear. *Fíer*
Miel. Honey. *Jáni*
Miembro. Member. *Mémber*
Mirar. Look. *Lúk*
Misa. Mass. *Mas*
Misionero. Missionary. *Míseneri*
Mochila. Haversack. *Jáversak*
Moda. Fashion. *Fáshen*
Modista. Dressmaker. *Drésmeiker*
Mojado. Wet. *Uét*
Molécula. Molecule. *Mólekiul*
Molestar. Bother. *Báder*
Molestia. Bother. *Báder*
Mono. Monkey. *Mánki*
Montaña. Mountain. *Máuntein*
Monte. Hill. *Jil*
Montura. Saddle. *Sád'l*
Monumento. Monument. *Mániument*
Mordisco. Bite. *Báit*
Morir. Die. *Dai*
Mosaico. Mosaic. *Móseik*
Mosca. Fly. *Flái*
Mostaza. Mustard. *Másterd*
Mostrador. Counter. *Cáunter*
Muchacha. Girl. *Guerl*
Muchacho. Boy. *Bói*
Mueble. Furniture. *Férnicher*
Muela. Tooth. *Tuuz*
Muelle. Pier. *Píir (Barcos)*
Muelle. Spring. *Spring*
Muerto. Dead. *Déd*
Mujer. Woman. *Uúmen*
Multa. Fine. *Fáin*
Mundo. World. *Uérld*
Muñeca. Doll. *Dal*
Músculo. Muscle. *Másel*
Músico. Musician. *Miusíshen*

Nácar. Mother of pearl. *Máder of perl*
Nacarado. Pearly. *Péerli*
Nacer. Born. *Born*
Nada. Nothing. *Názin*
Nadar. Swim. *Suim*
Naipe. Card. *Card*
Nativo. Native. *Néitiv*
Naturaleza. Nature. *Néicher*
Náusea. Nausea. *Nósea*
Necesitar. Need. *Níid*
Neceser. Toilet-bag. *Tóiletbag*
Necio. Stupid. *Stiúpid*
Necrópolis. Necropolis. *Nicrópolis*

Nefritis. Nephritis. *Nifraitis*
Negar. Deny. *Dinai*
Negocios. Business. *Bísnes*
Nene. Baby. *Béibi*
Nervio. Nerve. *Nerv*
Neumonía. Pneumonia. *Niumóunia*
Nevar. Snow. *Snóu*
Nevera. Refrigerator. *Refríyeréiter*
Niebla. Fog. *Fog*
Nieve. Snow. *Snóu*
Nogal. Walnut. *Uólnat*
Norte. North. *Norz*
Noticias. News. *Nius*
Novedad. Novelty. *Nóvelti*
Novela. Novel. *Nóvel*
Novia. Bride. *Bráid*
Nube. Cloud. *Cláud*
Nuez. Nut. *Nat*
Numismática. Coin collecting. *Cóin coléktin*
Nunca. Never. *Néver*
Nupcial. Nuptial. *Népshel*

Oasis. Oasis. *Oésis*
Obediencia. Obedience. *Obídiens*
Obeso. Fat. *Fat*
Objeto. Object. *Óbyect*
Oblicuo. Oblique. *Oblík*
Obsequio. Gift. *Guift*
Observatorio. Observatory. *Obsérvatori*
Obtener. Obtain. *Obtéin*
Ocasión. Occasion. *Okéishon*
Océano. Ocean. *Óushen*
Odiar. Hate. *Jéit*
Oeste. West. *Uést*
Oir. Hear. *Jíer*
Ojal. Buttonhole. *Bátonjoul*
Ojo. Eye. *Ai*
Ola. Wave. *Uéiv*
Oler. Smell. *Smel*
Olvidar. Forget. *Forguét*
Onda. Wave. *Uéiv*
Optico. Optician. *Optíshen*
Opuesto. Opposite. *Óposit*
Oración. Prayer. *Préier*
Oreja. Ear. *Íer*
Orfebre. Goldsmith. *Góuldsmiz*
Organo. Organ. *Órgan*
Orgulloso. Proud. *Práud*
Orquídea. Orchid. *Órked*
Oscuro. Dark. *Dárk*
Oso. Bear. *Béer*
Ostra. Oyster. *Óister*
Oveja. Sheep. *Shíip*
Oxido. Oxide. *Óxid*
Oxígeno. Oxygen. *Óxiyen*

Pabellón. Pavilion. *Páviyen*
Paciencia. Patience. *Péishens*
Paciente. Patient. *Péishent*
Página. Page. *Péich*
Paja. Straw. *Stróu*
Pájaro. Bird. *Bérd*
Palabra. Word. *Uerd*
Palacio. Palace. *Pálas*
Pálido. Pale. *Péil*
Palmera. Palm tree. *Pám tríi*
Palo. Stick. *Stik*
Paloma. Pigeon. *Píchon*
Pantalón. Trousers. *Tráusers*

Pañuelo. Handkerchief. *Jánkerchif*
Papel. Paper. *Péiper*
Paquete. Package. *Pákech*
Paraguas. Umbrella. *Ambréla*
Paralelo. Parallel. *Páralel*
Parar. Stop. *Stop*
Parecer. Seem. *Sim*
Pared. Wall. *Uól*
Pareja. Pair. *Péer*
Pasaje. Passage. *Páseich*
Pasaporte. Passport. *Pásport*
Pasillo. Corridor. *Córridor*
Pastelería. Pastry. *Peistri*
Pastilla. Tablet. *Táblet*
Patio. Court. *Cort*
Patrulla. Patrol. *Pátroul*
Paz. Peace. *Píis*
Peaje. Toll. *Tóul*
Peatón. Pedestrian. *Pédestrien*
Pedrería. Jewellery. *Chúelri*
Peine. Comb. *Coumb*
Película. Film. *Film*
Peligro. Danger. *Déinyer*
Pendientes. Earrings. *Íerings*
Penitencia. Penitence. *Pénitensi*
Pensar. Think. *Zink*
Pension. Boarding-house. *Bórdinjaus*
Percha. Hanger. *Jánguer*
Perdido. Lost. *Lost*
Peregrino. Pilgrim. *Pílgrim*
Perejil. Parsley. *Pársli*
Perezoso. Lazy. *Léisi*
Perla. Pearl. *Perl*
Permanecer. Remain. *Riméin*
Permitir. Allow. *Álau*
Perro. Dog. *Dog*
Persiana. Sun blind. *San bláind*
Pertenecer. Belong. *Bilóng*
Petróleo. Oil. *Oil*
Picadura. Sting. *Stin*
Piedra. Stone. *Stoun*
Pijama. Pajamas. *Payámas*
Pila. Battery. *Báteri*
Píldora. Pill. *Pil*
Piloto. Pilot. *Páilet*
Pimienta. Pepper. *Péper*
Pintura. Painting. *Péintin*
Piscina. Pool. *Púul*
Piso. Floor. *Flor*
Pistola. Pistol. *Pístol*
Plancha (de ropa). Pressing-iron. *Présin-áir'n*
Plata. Silver. *Sílver*
Playa. Beach. *Bíich*
Plaza. Square. *Skuéar*
Plomo. Lead. *Led*
Pluma. Pen. *Pen*
Pobre. Poor. *Púur*
Poco. Little. *Lít'l*
Poesía. Poem. *Poém*
Policía. Policeman. *Polísman*
Polvo. Powder. *Páuder*
Polvo (suciedad). Dust. *Dast*
Pollo. Chicken. *Chíken*
Pomada. Ointment. *Óintment*
Porcelana. China. *Cháina*
Portero. Doorman. *Dórman*
Prado. Field. *Fild*
Precioso. Precious. *Préshies*

Premio. Prize. *Práis*
Preso. Prisoner. *Prísoner*
Probar. Try. *Trái*
Probar (comidas). Taste. *Téist*
Profesor. Teacher. *Tícher*
Profundo. Deep. *Díip*
Prohibido. Forbidden. *Forbíden*
Protección. Protection. *Protécshen*
Provincia. Province. *Prá-vens*
Próximo. Next. *Next*
Puente. Bridge. *Brích*
Puerta. Door. *Dor*
Pulmón. Lung. *Lang*
Pulsera. Bracelet. *Bréislet*
Puro. Pure. *Piúer*

Quemadura. Burn. *Bern*
Quemar. Burn. *Bern*
Querer. Love. *Lav*
Quirófano. Operating theatre. *Ópereiting-zíeter*
Quirúrgico. Surgical. *Sér-yikal*
Quitamanchas. Stain remover. *Stéin rimúver*
Quitar. Remove. *Rimúv*

Rábanos. Radishes. *Radíshis*
Rabia. Rage. *Réich*
Radiactividad. Radioactivity. *Reidioactíviti*
Rana. Frog. *Frag*
Rápidamente. Quickly. *Kuícli*
Raro. Unusual. *Aniúshual*
Rascacielos. Skyscraper. *Skáiscreiper*
Rasguño. Scratch. *Scrach*
Rata. Rat. *Rat*
Ratón. Mouse. *Máus*
Rayo. Ray. *Rei*
Rayos X. X-Rays. *Ecs-reis*
Raza. Race. *Réis*
Razón. Reason. *Ríson*
Rebaja. Reduction. *Redác-shen*
Recado. Message. *Mésech*
Receta. Prescription. *Pris-crípshen*
Recibir. Receive. *Risív*
Recibo. Receipt. *Ricít*
Recobrar. Recover. *Ricáver*
Recoger. Pick up. *Pik ap*
Reconciliar. Reagree. *Rie-grí*
Recordar. Remember. *Ri-mémber*
Recuerdo. Souvenir. *Súve-nir*
Red. Net. *Net*
Redondo. Round. *Ráund*
Reembolso. Refund. *Rí-fand*
Refresco. Refreshment. *Ri-frésment*
Regalo. Present. *Prísent*
Régimen. Diet. *Dáiet*
Región. Region. *Ríyen*
Reglamento. Regulation. *Reguiuléishen*
Rehusar. Refuse. *Refiús*
Reina. Queen. *Kuín*
Reir. Laugh. *Laf*
Relámpago. Flash. *Flash*
Remolacha. Beetroot. *Bíit-rúut*

Remolcar. Tow. *Toú*
Repetir. Repeat. *Ripíit*
Reportero. Reporter. *Ripórter*
Representante. Representative. *Ripreséntativ*
Resbaladizo. Slippery. *Slíperi*
Resfriado. Cold. *Cóuld*
Residente. Resident. *Résident*
Respiración. Breath. *Brez*
Respirar. Breathe. *Bríiz*
Responder. Answer. *Ánser*
Responsabilidad. Responsibility. *Rispansíbiliti*
Respuesta. Reply. *Riplái*
Retrato. Picture. *Pikcher*
Revelar. Reveal. *Rivil*
Revelar (fotografías). Develop. *Divélop*
Revisor. Ticket collector. *Tíket coléktor*
Revista. Magazine. *Mágasin*
Rey. King. *Kín*
Rico. Rich. *Rich*
Río. River. *Ríver*
Risa. Laugh. *Laf*
Rizador. Hair curler. *Jéer kérler*
Robo. Theft. *Zeft*
Roca. Rock. *Rok*
Rodilla. Knee. *Níi*
Rompeolas. Breakwater. *Bréikuoter*
Romper. Break. *Bréik*
Ropa. Clothing. *Clónzin*
Roto. Broken. *Bróuken*
Rubí. Ruby. *Rúbi*
Rubio. Blond. *Blond*
Rueda. Wheel. *Uíl*
Ruido. Noise. *Nóis*
Ruidoso. Noisy. *Nóisi*
Ruina. Ruin. *Rúin*
Rulo. Curler. *Kérler*
Rural. Country. *Cáuntri*
Rusia. Russia. *Ráshia*
Ruso. Russian. *Ráshian*
Ruta. Route. *Rúut*

Sábana. Sheet. *Shíit*
Saber. Know. *Nóu*
Sabio. Wise. *Uáis*
Sabor. Flavour. *Fléiver*
Sacar. Pull out. *Pul áut*
Sacerdote. Priest. *Príst*
Sal. Salt. *Solt*
Sala de espera. Waiting room. *Uéiting rum*
Salchicha. Sausage. *Sósich*
Salir. Go out. *Góu áut*
Salsa. Sauce. *Sos*
Saltar. Jump. *Yámp*
Sangre. Blood. *Blad*
Salud. Health. *Jelz*
Saludo. Regard. *Rigárd*
Salvaje. Wild. *Uáild*
Salvavidas. Life jacket. *Láif yáket*
Sartén. Frying pan. *Fráin pan*
Sastre. Tailor. *Téilor*
Seco. Dry. *Drái*
Secreto. Secret. *Sícret*
Seda. Silk. *Silk* [*láir*
Sedal. Fishing line. *Físhin*
Seducción. Seduction. *Sidákshen*
Seguir. Follow. *Fólou*

Selva. Jungle. *Yángel*
Sello. Stamp. *Stamp*
Semana. Week. *Uíik*
Semejante. Similar. *Símilar*
Sencillo. Easy. *Ísi*
Señal. Sign. *Sáin*
Señas. Address. *Ádres*
Ser. Be. *Bi*
Servilleta. Napkin. *Nápkin*
Servir. Serve. *Serv*
Seta. Mushroom. *Máshrum*
Sidra. Cider. *Sáider*
Siempre. Always. *Ólueis*
Sierra. Saw. *Só*
Siesta. Nap. *Nap*
Siglo. Century. *Séncheri*
Silencio. Silence. *Sáilens*
Silla. Chair. *Cher*
Simpatía. Sympathy. *Símpazi*
Sincero. Sincere. *Sinsíer*
Sobrina. Niece. *Nis*
Sobrino. Nephew. *Néfiu*
Sol. Sun. *San*
Soldado. Soldier. *Sóldyer*
Sólido. Solid. *Sálid*
Soltero. Single. *Síngel*
Sombra. Shade. *Shéid*
Sombrero. Hat. *Jat*
Sonido. Sound. *Sáund*
Sonrisa. Smile. *Smail*
Sopa. Soup. *Sup*
Sortija. Ring. *Ring*
Sostén. Bra. *Brá*
Subterráneo. Underground. *Ándergráund*
Súbdito. Subject. *Sábyet*
Sucio. Dirty. *Dérti*
Sudor. Perspiration. *Perspiréishen*
Sueco. Swedish. *Suídish*
Suegra. Mother-in-law. *Máder-in-lo*
Suerte. Luck. *Lac*
Suicidio. Suicide. *Siuisáid*
Suizo. Swiss. *Suís*
Sumar. Add. *Ad*
Sumergir. Sink. *Sink*
Surtidor. Filling station. *Fílin stéishen*

Tabaco. Tobacco. *Tobaco*
Taberna. Tavern. *Távern*
Tabique. Partition wall. *Partíshen uól*
Tacón. Heel. *Jíil*
Tacto. Touch. *Tach*
Tapa. Cover. *Cáver*
Tardar. Delay. *Diléi*
Tarta. Cake. *Kéik*
Tejado. Roof. *Ruf*
Tela. Cloth. *Clóz*
Telegrama. Telegram. *Télegram*
Tempestad. Storm. *Storm*
Temprano. Early. *Érly*
Tener. Have. *Jáv*
Teñir. Dye. *Dái*
Terapéutica. Therapeutics. *Zerapiútics*
Terciopelo. Velvet. *Vélvet*
Terminar. Finish. *Fínish*
Termómetro. Thermometer. *Zérmomiter*
Tetera. Tea-pot. *Típot*
Tiburón. Shark. *Shark*
Tiempo. Time. Weather. *Táim. Uéder*
Tienda. Shop. *Shop*

Tierra. Land. *Land*
Tieso. Stiff. *Stif*
Tijeras. Scissors. *Sísors*
Tímido. Timid. *Tímid*
Tinta. Ink. *Ink*
Tipo. Type. *Táip*
Toalla. Towel. *Táuel*
Tonto. Silly. *Síli*
Topógrafo. Topographer. *Topógrafer*
Tornillo. Screw. *Scrú*
Toro. Bull. *Búl*
Tos. Cough. *Caf*
Tostada. Toast. *Tóust*
Trabajador. Worker. *Uérker*
Trabajar. Work. *Uérk*
Traducir. Translate. *Transléit*
Traer. Bring. *Bring*
Traje (hombre). Suit. *Sút*
Traje (mujer). Dress. *Dres*
Trámite. Process. *Próces*
Tranquilo. Quiet. *Cuáiet*
Transferir. Transfer. *Tránsfer*
Transfusión. Transfusion. *Transfiúshen*
Trapecio. Trapezium. *Trapísiom*
Tribunal. Court. *Cort*
Triste. Sad. *Sad*
Trolebús. Trolleybus. *TróIibas*
Tropical. Tropical. *Trópical*
Tubería. Pipe. *Páip*
Tumba. Tomb. *Tum*
Túnel. Tunnel. *Tánel*
Turco. Turkish. *Térkish*

Ulcera. Ulcer. *Álser*
Universitario. Undergraduate. *Andergradiuéit*
Urbanidad. Courteousness. *Córtiosnes*
Urbanización. Urbanization. *Orbeniséishen*
Usado. Worn out. *Uórn áut*
Usar. Use. *Iús*
Util. Useful. *Iúsful*
Uva. Grape. *Gréip*

Vaca. Cow. *Cáu*
Vacaciones. Holidays. *Jólidéis*
Vacío. Empty. *Empti*
Vacuna. Vaccination. *Vaksinéishon*
Vacunar. Vaccinate. *Vaksinéit*
Valiente. Brave. *Bréiv*
Valioso. Valuable. *Váliuebel*
Válvula. Valve. *Válv*
Vapor. Steam. *Stíim*
Vaso. Glass. *Glas*
Vecino. Neighbour. *Néibor*
Velocidad. Speed. *Spíid*
Vendaje. Bandage. *Béndeich*
Vendedor. Salesman. *Séilsmen*
Vender. Sell. *Sel*
Veneno. Poison. *Póisen*
Ventana. Window. *Uíndou*
Ventilador. Fan. *Fan*
Ver. See. *Síi*
Verdad. Truth. *Truz*
Verdaderamente. Truly. *Trúli*

Vestido. Dress. *Dres*
Vinagre. Vinegar. *Vínegar*
Visado. Visa. *Vísa*
Visita. Visit. *Vísit*
Viuda. Widow. *Uídou*
Vivir. Live. *Liv*
Volante. Steering wheel. *Stíirin uil*
Volar. Fly. *Fláí*
Volcar. Overturn. *Overtérn*
Voltaje. Voltage. *Vóulteich*
Volver. Return. *Ritérn*
Vomitar. Vomit. *Vómit*
Voz. Voice. *Vóis*
Vuelo. Flight. *Fláit*
Vuelta. Return. *Ritérn*

Yacer. Lie. *Lai*
Yarda. Yard. *Yard*
Yate. Yacht. *Yot*
Yegua. Mare. *Méer*
Yodo. Iodine. *Áiodin*
Yunque. Anvil. *Ánvil*

Zafiro. Sapphire. *Sáfair*
Zanahoria. Carrot. *Kárrot*
Zapatilla. Slipper. *Slíper*
Zarpa. Paw. *Po*
Zarpar. Weigh anchor. *Uei ánker*
Zoológico. Zoo. *Su*
Zorro. Fox. *Fox*
Zurdo. Left-handed. *Left-jándid*

VOCABULARY
ENGLISH-SPANISH

Absent. *Ábsent.* Ausente
Absent-minded. *Ábsent máinded.* Distraído
Absolute. *Ábsoliut.* Absoluto
Absolutely. *Absolútli.* Absolutamente
Academy. *Acádemi.* Academia
Accent. *Áksent.* Acento
Accept. *Áksept.* Aceptar
Accident. *Áksident.* Accidente
Accompany. *Acómpani* Acompañar
Ache. *Éic.* Dolor
Active. *Áctiv.* Activo
Actor. *Áctor.* Actor
Add. *Ad.* Sumar
Addres. *Adrés.* Señas
Adhesive tape. *Adjísiv teip.* Esparadrapo
Adjective. *Adyectiv.* Adjetivo
Admiral. *Ádmiral.* Almirante
Admiration. *Admiréishon* Admiración
Admit. *Admit.* Admitir
Adorable. *Adórebel.* Adorable
Advance. *Adváns.* Avance
Advertisement. *Advértisment.* Anuncio
Advice. *Adváis.* Consejo
Affectionate. *Afécshonet* Afectuoso
Age. *Éich.* Edad
Agent. *Éiyent.* Agente
Air. *Éer.* Aire
Alarm. *Alárm.* Alarma
Alarm clock. *Alárm cloc* Despertador
Alcohol. *Álcojol.* Alcohol
Allow. *Aláu.* Permitir
Almond. *Ámond.* Almendra
Alphabet. *Álfabet.* Alfabeto
Altar. *Óltar.* Altar
Always. *Ólueis.* Siempre
Ambulance. *Ambíulans* Ambulancia
Amusement. *Amiusment* Distracción
Ancient. *Éinshent.* Antiguo
Angel. *Éinyel.* Angel
Angry. *Angri.* Enojado
Animal. *Ánimal.* Animal
Announcer. *Anáunser.* Locutor
Answer. *Ánser.* Contestación, responder
Anvil. *Ánvil.* Yunque
Anxious. *Enkshos.* Ansioso
Appointment. *Apóintment* Cita
Appreciate. *Apríshieit* Apreciar
Arch. *Arch.* Arco
Archbishop. *Archbishop.* Arzobispo
Architect. *Árkitect.* Arquitecto
Argue. *Árguiu.* Disputar

Army. *Armi.* Ejército
Around. *Aráund.* Alrededor
Arrival. *Arráivel.* Llegada
Art. *Art.* Arte
Artificial. *Artífishel.* Artificial
Artist. *Ártist.* Artista
Ashamed. *Ashéimd.* Avergonzado
Ashtray. *Ashtréi.* Cenicero
Assist. *Asíst.* Ayudar
Attach. *Atách.* Unir, incautar
Attendant. *Aténdant.* Encargado
Authority. *Ozóriti.* Autoridad
Available. *Avéilebel.* Disponible
Avoid. *Avoid.* Evitar
Awake. *Auéic.* Despierto

Baby. *Béibi.* Nene
Bad. *Bad.* Mal, malo
Bag. *Bag.* Maletín
Balcony. *Bálconi.* Balcón
Ball point. *Bol póint.* Bolígrafo
Bandage. *Béndeich.* Vendaje
Bathe. *Béiz.* Bañar
Battery. *Báteri.* Pila
Battle. *Bátel.* Batalla
Bay. *Bey.* Bahía
Be. *Bi.* Ser
Beach. *Bíich.* Playa
Beacon. *Bícon.* Faro
Bean. *Bín.* Alubia
Bear. *Béer.* Oso
Beard. *Bíerd.* Barba
Beauty. *Biúti.* Belleza
Bed. *Bed.* Cama
Bedroom. *Bédrum.* Dormitorio
Beech-tree. *Bichtri.* Haya
Beer. *Bíer.* Cerveza
Beetroot. *Bíitrut.* Remolacha
Before. *Bifor.* Antes
Beggar. *Bégar.* Mendigo
Begin. *Biguín.* Empezar
Believe. *Bilív.* Creer
Bell. *Bél.* Campana
Belong. *Bilóng.* Pertenecer
Belt. *Belt.* Cinturón
Bicycle. *Báisikel.* Bicicleta
Bird. *Berd.* Pájaro
Birthday. *Bérzdei.* Cumpleaños
Biscuit. *Bískit.* Galleta
Bite. *Báit.* Mordisco
Bitter. *Bíter.* Amargo
Blind. *Blaínd.* Ciego
Blond. *Blond.* Rubio
Blood. *Blad.* Sangre
Blow. *Blóu.* Soplar, golpe
Boarding-house. *Bórdinjáus* Pensión
Boil. *Boil.* Hervir
Bone. *Bóun.* Hueso
Border. *Bórder.* Frontera
Born. *Born.* Nacer
Both. *Bóuz.* Ambos
Bother. *Báder.* Molestar
Bottle. *Bátel.* Botella
Bottom. *Bátom.* Fondo
Box. *Box.* Caja
Boy. *Bói.* Muchacho
Bracelet. *Bréislet.* Pulsera
Brain. *Bréin.* Cerebro
Brake. *Bréik.* Freno

Bra. *Brá.* Sostén
Brave. *Bréiv.* Valiente
Break. *Bréik.* Romper
Breakdown. *Bréikdaun* Avería
Breakwater. *Bréikuoter* Rompeolas
Breath. *Brez.* Respiración
Bride. *Bráid.* Novia
Bridge. *Brích.* Puente
Bring. *Bring.* Traer
Broom. *Brúum.* Escoba
Brush. *Brash.* Cepillo, cepillar
Build. *Bild.* Construir
Building. *Bílding.* Edificio
Bulb. *Balb.* Bombilla
Bull. *Bul.* Toro
Bunk. *Bank.* Litera
Burn. *Bern.* Quemar
Business. *Bísnes.* Negocio
Businessman. *Bísnesman* Comerciante
Butter. *Báter.* Mantequilla
Button. *Báton.* Botón
Buttonhole. *Bátonjoul.* Ojal
Buy. *Bai.* Comprar

Cabin. *Kábin.* Camarote
Cable. *Kéibel.* Cable
Cake. *Kéik.* Tarta
Calendar. *Caléndar.* Calendario
Call. *Col.* Llamar
Camp. *Camp.* Acampar
Canal. *Canál.* Canal
Can opener. *Kan óupener* Abrelatas
Cap. *Cap.* Gorra
Card. *Card.* Naipe
Carrot. *Kárrot.* Zanahoria
Castle. *Cásel.* Castillo
Cat. *Cat.* Gato
Catalogue. *Cátalog.* Catálogo
Catholic. *Cázolic.* Católico
Cattle. *Catel.* Ganado
Cellar. *Sélar.* Sótano
Cementery. *Sémetery.* Cementerio
Century. *Séncheri.* Siglo
Certain. *Sérten.* Cierto
Chair. *Cher.* Silla
Champagne. *Shampein* Champaña
Change. *Cheínch.* Cambio
Chapel. *Chápel.* Capilla
Chemist's. *Kémists.* Farmacia
Chewing-gum. *Chuim gam* Chicle
Chicken. *Chíken.* Pollo
China. *Cháina.* Porcelana
Chocolate. *Chócoléit.* Chocolate
Choice. *Chois.* Elección
Christian. *Crístian.* Cristiano
Church. *Cherch.* Iglesia
Cider. *Sáider.* Sidra
Circle. *Sérkel.* Círculo
Clamp. *Clamp.* Grapa
Clean. *Clíin.* Limpio
Clerk. *Clark.* Dependiente
Cloakroom. *Clóuk rum.* Guardarropa
Cloth. *Clóz.* Tela
Clothes-cleaner. *Clóuzs-clíner.* Quitamanchas
Clothing. *Clóuzin.* Ropa

Cloud. *Claúd.* Nube
Coal. *Cóul.* Carbón
Coast. *Cóust.* Costa
Coat. *Cóut.* Abrigo, chaqueta
Coat-rack. *Cóut-rak.* Percha
Coin collecting. *Cóin coléktin.* Numismática
Cold. *Cóuld.* Frío, catarro
Collector. *Coléctor.* Cobrador
Collision. *Colíshon.* Choque
Colourless. *Cálorles.* Incoloro
Comb. *Coumb.* Peine
Come down. *Cam dáun* Bajar
Comfort. *Cónfort.* Comodidad [dar
Command. *Cománd.* Man-
Common. *Cómon.* Común
Communist. *Cómiunist.* Comunista
Company. *Cómpani.* Compañía
Comparison. *Comparison* Comparación
Compass. *Cómpas.* Brújula
Condition. *Condíshon.* Condición
Confused. *Confiúsd.* Confuso
Congress. *Cóngres.* Congreso
Consider. *Consíder.* Considerar
Consonant. *Cónsonant.* Consonante
Constipation. *Constipéishen* Estreñimiento
Consul. *Cónsul.* Cónsul
Contain. *Contéin.* Contener
Content. *Contént.* Contento
Continue. *Contíniu.* Continuar
Conversation. *Converséishon.* Conversación
Cook. *Kúuk.* Guisar
Copy. *Cópi.* Copia
Cork. *Cork.* Corcho
Corn. *Córn.* Maíz
Corner. *Córner.* Esquina
Corridor. *Córridor.* Pasillo
Cotton. *Cóton.* Algodón
Cough. *Cáf.* Tos
Count. *Cáunt.* Contar
Counter. *Cáunter.* Mostrador
Country. *Cáuntri.* Campo
Coupling. *Cáplin.* Empalmar
Court. *Cort.* Patio, tribunal
Courteousness. *Córtiosness* Urbanidad
Cover. *Cáver.* Tapa
Cow. *Cáu.* Vaca
Crab. *Crab.* Cangrejo
Crank. *Crank.* Manivela
Crazy. *Créisi.* Loco
Cross. *Cros.* Cruz, cruzar
Cry. *Crai.* Gritar, llorar
Cupboard. *Capbord.* Armario
Custom. *Cástom.* Costumbre
Custom's officer. *Kástoms ófiser.* Aduanero
Cut. *Cat.* Cortar

Damage. *Dámeich.* Daño
Damper. *Dámper.* Amortiguador
Dance. *Dáns.* Baile
Danger. *Déinyer.* Peligro
Dark. *Dark.* Oscuro
Dead. *Ded.* Muerto
Debt. *Det.* Deuda
Deceive. *Disív.* Engañar
Decide. *Disáid.* Decidir
Declare. *Diclér.* Declarar
Deep. *Díip.* Profundo
Delay. *Diléi.* Demorar
Deliver. *Dilíver.* Entregar
Democracy. *Dimócrasi.* Democracia
Deny. *Dinai.* Negar
Deposit. *Dipósit.* Depositar
Describe. *Díscráib.* Describir
Desert. *Désert.* Desierto
Detail. *Díteil.* Detalle
Develop. *Divelop.* Desarrollar, revelar fotos
Devil. *Dévil.* Diablo
Diamond. *Dáiamond.* Diamante
Dictionary. *Dicshoneri.* Diccionario
Die. *Dai.* Morir
Diet. *Dáiet.* Régimen
Difference. *Díferens.* Diferencia
Different. *Díferent.* Diferente
Difficult. *Díficalt.* Difícil
Dimension. *Diménshen.* Dimensión
Dinner. *Díner.* Comida
Dinning-room. *Dáinin-rum* Comedor
Direct. *Direct.* Dirigir
Director. *Diréctor.* Director
Dirty. *Dérti.* Sucio
Disablement. *Diséibelment* Invalidez
Disappointment. *Disapóintment.* Desengaño
Discount. *Discáunt.* Descuento
Dismiss. *Dismís.* Despedir
Displease. *Displíis.* Disgustar
Distribution. *Distribiushen* Distribución
District. *Dístrict.* Barrio
Divide. *Diváid.* Dividir
Divorce. *Divóurs.* Divorcio
Dock. *Dok.* Muelle (barcos)
Doctor. *Dóctor.* Doctor
Document. *Dókiument.* Documento
Dog. *Dog.* Perro
Doll. *Dal.* Muñeca
Donkey. *Dánki.* Burro
Door. *Dóor.* Puerta
Doorman. *Dórman.* Portero
Dose. *Dóus.* Dosis
Double. *Dábel.* Doble
Dove. *Dáv.* Paloma
Down. *Dáun.* Abajo
Drain. *Dréin.* Desagüe
Draw. *Dróu.* Dibujar, sacar
Drawer. *Dróuer.* Cajón
Dress. *Dres.* Traje (mujer)
Dressing-case. *Drésin kéis* Neceser
Dressmaker. *Dresméiker* Modista

Drink. *Drink.* Beber
Drive. *Dráiv.* Conducir
Drop. *Drop.* Gota
Dry. *Drai.* Seco
Dust. *Dast.* Polvo (suciedad)
Dye. *Dai.* Teñir

Ear. *Íer.* Oreja
Early. *Érli.* Temprano
Earrings. *Íerings.* Pendientes
Easy. *Ísi.* Fácil
Education. *Ediukéishen* Educación
Effect. *Eféct.* Efecto
Elastic. *Ilástic.* Elástico
Electricity. *Ilectrísiti.* Electricidad
Elephant. *Élefant.* Elefante
Embark. *Embárk.* Embarcar
Embassy. *Émbasi.* Embajada
Emerald. *Émerold.* Esmeralda
Emotion. *Emóushion.* Emoción
Emperor. *Émperor.* Emperador
Employee. *Emploíi.* Empleado
Empty. *Émpti.* Vacío
End. *End.* Fin
Enemy. *Énemi.* Enemigo
Energy. *Éneryi.* Energía
Enjoy. *Enyoy.* Divertirse
Entirely. *Entáirli.* Enteramente
Equal. *Ikual.* Igual
Equipment. *Ecúipment* Equipo
Error. *Érror.* Error
Exact. *Exáct.* Exacto
Examination. *Examinéishon* Exámen
Example. *Eksampel.* Ejemplo
Excellent. *Éxcelent.* Excelente
Except. *Exépt.* Exceptuar
Excursion. *Exkérshen.* Excursión
Excuse. *Ekskiús.* Excusar
Exercise. *Eksersáis.* Ejercicio
Exhibition. *Exibíshen.* Exposición
Expenses. *Expénsis.* Gastos
Explain. *Expléin.* Explicar
Export. *Exportar.* Exportar
Express. *Exprés.* Expreso
Eye. *Ai.* Ojo

Face. *Féis.* Cara
Factory. *Fákchori.* Fábrica
Faint. *Féint.* Desmayarse
Fall. *Fól.* Caer
False. *Fols.* Falso
Family. *Fámili.* Familia
Fan. *Fan.* Abanico, ventilador, aficionado
Far. *Far.* Lejos
Fashion. *Fáshen.* Moda
Fat. *Fat.* Gordo
Fault. *Folt.* Culpa
Fear. *Fíer.* Miedo
Female. *Fiméil.* Hembra
Field. *Fíld.* Campo
Fig. *Fig.* Higo

Fill. *Fil.* Llenar
Filling station. *Fílin stéishen.* Surtidor (gasolina)
Film. *Film.* Película
Find. *Faind.* Encontrar
Fine. *Fáin.* Hermoso, multa
Finger. *Fínguer.* Dedo de mano
Finish. *Fínish.* Concluir, acabar
Fire. *Fáier.* Fuego
First aid kit. *Férst ed kit* Botiquín
Fish bone. *Fish bóun.* Espina
Fixed. *Fixt.* Fijo
Flame. *Fléim.* Llama
Flash. *Flash.* Relámpago, fogonazo
Flavour. *Fléiver.* Sabor
Flight. *Fláit.* Vuelo, huída
Flood. *Flad.* Inundación
Floor. *Flóor.* Piso
Flower. *Fláuer.* Flor
Fly. *Flai.* Volar, mosca
Fog. *Fog.* Niebla
Follow. *Fólou.* Seguir
Food. *Fúud.* Alimento
Forbidden. *Forbíden.* Prohibido
Foreigner. *Fórener.* Extranjero
Forget. *Forguét.* Olvidar
Form. *Fórm.* Forma
Former. *Fórmer.* Anterior
Formula. *Fórmiula.* Fórmula
Fortunately. *Fórchunetli* Afortunadamente
Fountain. *Fáuntein.* Fuente
Fox. *Fox.* Zorro
Free. *Frii.* Libre
Freight. *Fréit.* Flete, carga
Frequently. *Fríkuentli.* Frecuentemente
Fried. *Fráid.* Frito
Friend. *Frend.* Amigo
Frighten. *Fráiten.* Asustar
Frog. *Frog.* Rana
Frozen. *Fróusen.* Congelado
Fruit. *Frut.* Fruta
Frying pan. *Fráin pan.* Sartén
Funeral. *Fiúneral.* Entierro
Funny. *Fáni.* Cómico, divertido
Furniture. *Férnicher.* Mobiliario
Future. *Fiúcher.* Futuro

Gala. *Gala.* Gala
Galaxy. *Gálaxi.* Galaxia
Gallery. *Gáleri.* Galería
Gallon. *Galon.* Galón
Game. *Guéim.* Juego
Garden. *Gárden.* Jardín
Garlic. *Gárlic.* Ajo
Garter. *Gárter.* Liga
Gas. *Gas.* Gas
Gay. *Guei.* Alegre
Generous. *Yéneres.* Generoso
Gentleman. *Yentelman* Caballero
Geography. *Yeógrafi.* Geografía
Get. *Guet.* Alcanzar, obtener
Get fat. *Guet fat.* Engordar
Get up. *Guet ap.* Levantarse

Get up early. *Guetap érli.* Madrugar
Ghost. *Góust.* Duende, fantasma
Gift. *Guift.* Regalo
Gin. *Yin.* Ginebra
Girl. *Guerl.* Muchacha
Glass. *Glas.* Vaso, cristal
Glasses. *Glasis.* Gafas
Go. *Gou.* Ir
Go away. *Gou euei.* Marchar
God. *God.* Dios
Goldsmith. *Gouldsmiz.* Orfebre, joyero
Good-looking. *Gud-lúkin* Guapo
Go out. *Gou aut.* Salir
Go to bed. *Gou tu bed.* Acostarse
Government. *Gáverment* Gobierno
Grape. *Gréip.* Uva
Grass. *Gras.* Hierba
Grave. *Gréiv.* Tumba
Grease. *Gríis.* Grasa
Guaranteed. *Garantíid.* Garantizado
Guitar. *Guítar.* Guitarra
Gun. *Gan.* Arma de fuego

Hair. *Jéer.* Cabello
Hair curler. *Jéer kérler* Rizador
Ham. *Jam.* Jamón
Hammer. *Jámer.* Martillo
Handbag. *Jandbag.* Bolso
Handkerchief. *Jánkerchif* Pañuelo
Happy. *Jápi.* Dichoso, feliz
Hard. *Jard.* Duro
Hat. *Jat.* Sombrero
Hate. *Jéit.* Odiar
Have. *Jáv.* Haber, tener, tomar
Have luch. *Jáv lanch.* Almorzar
Haversack. *Jáversak.* Mochila
Head. *Jéd.* Cabeza
Health. *Jélz.* Salud
Hear. *Jíer.* Oir
Heart. *Jart.* Corazón
Heat. *Jíit.* Calor, calentar
Heel. *Jíil.* Talón
Hell. *Jel.* Infierno
Help. *Jelp.* Ayudar, socorro
Hen. *Jen.* Gallina
Heritage. *Jériteich.* Herencia
Hero. *Jirou.* Héroe
Hierarchy. *Jáierarki.* Jerarquía
High. *Jái.* Alto
Hill. *Jil.* Colina
Hoist. *Jóist.* Izar
Hole. *Jóul.* Agujero
Holiday. *Jólidéi.* Vacación
Home. *Jóum.* Hogar
Homicide. *Jómisaid.* Homicida
Homonymous. *Jomónimus* Homónimo
Honest. *Ónest.* Honrado
Honey. *Jáni.* Miel
Honorary. *Onóreri.* Honorario
Honour. *Ónor.* Honor
Hope. *Jóup.* Esperanza
Horizontal. *Jorísontal.* Horizontal

Horn. *Jórn.* Cuerno, bocina
Horse. *Jórs.* Caballo
Hospital. *Jóspital.* Hospital
Hospitality. *Jospitáliti* Hospitalidad
Hot. *Jot.* Caliente
House. *Jáus.* Casa
Human. *Jíuman.* Humano
Hunger. *Jánguer.* Hambre
Hunting. *Jánting.* Caza
Hurricane. *Járrikein.* Huracán

Ice. *Áis.* Hielo
Ice-cream. *Áis-críim.* Helado
Idea. *Aidia.* Idea
Identification. *Aidentifikéishon.* Identificación
Idiot. *Ídiet.* Idiota
Ill. *Il.* Enfermo
Illegal. *Ilígal.* Ilegal
Illustration. *Ilustréishen* Ilustración
Imagination. *Imayinéishen* Imaginación
Immigration. *Immigréisen* Inmigración
Incident. *Íncident.* Incidente
Included. *Inclúded.* Incluído
Incomplete. *Incomplít.* Incompleto
Indemnity. *Indémniti.* Indemnización
Independence. *Indepéndans* Independencia
Indigestion. *Indiyéstion.* Indigestión
Individual. *Indivíyual.* Individuo
Infectious. *Infécshes.* Contagioso
Influenza. *Influénsa.* Gripe
Inhabitant. *Injábitant.* Habitante
Injection. *Inyékshen.* Inyección
Ink. *Ink.* Tinta
Innocent. *Ínocent.* Inocente
Insect. *Ínsect.* Insecto
Inside. *Insáid.* Dentro
Insist. *Insíst.* Insistir
Inspect. *Inspéct.* Inspeccionar
Insure. *Inshúer.* Asegurar
Intellectual. *Intelékchuel.* Intelectual
Intelligent. *Intéliyent.* Inteligente
Intense. *Inténs.* Intenso
Intermission. *Intermíshen* Entreacto
Interpret. *Ínterpret.* Interpretar
Interview. *Ínterviu.* Entrevista
Invader. *Invéider.* Invasor
Inventory. *Ínventori.* Inventario
Investigate. *Investiguéit.* Investigar
Iodine. *Áiodin.* Yodo
Iris. *Airis.* Iris
Iron. *Áiren.* Hierro
Irony. *Aironi.* Ironía
Irritate. *Irritéit.* Irritar
Island. *Ailand.* Isla

Jacket. *Yáket.* Chaqueta
Jail. *Yéil.* Cárcel
Jetton. *Chéton.* Ficha
Jewel. *Yúel.* Joya
Job. *Yob.* Empleo
Joke. *Yóuc.* Broma
Joy. *Yoi.* Alegría
Judge. *Yádch.* Juez
Judgement. *Yádchment.* Juicio
Juice. *Yus.* Jugo
Jump. *Yamp.* Saltar
Jungle. *Yángel.* Selva
Just. *Yast.* Justo
Justice. *Yástis.* Justicia

Keep. *Kíip.* Guardar
Key. *Kíi.* Llave
Kill. *Kil.* Matar
Kilocycle. *Kilosáikel.* Kilociclo
Kilogram. *Kílogram.* Kilogramo
Kilowatt. *Kilouot.* Kilowatio
Kind. *Káind.* Amable
King. *Kin.* Rey
Kiosk. *Kiósk.* Kiosco
Kiss. *Kis.* Beso
Knee. *Níi.* Rodilla
Knife. *Náif.* Cuchillo
Know. *Nóu.* Saber, conocer

Label. *Léibel.* Etiqueta
Labour. *Léiber.* Labor
Labyrinth. *Lábrinz.* Laberinto
Lace. *Léis.* Encaje
Lady. *Léidi.* Dama
Lake. *Léik.* Lago
Lamp. *Lamp.* Lámpara
Land. *Land.* Tierra, aterrizar
Language. *Léngüich.* Idioma
Lantern. *Lántern.* Linterna
Last name. *Last néim.* Apellido
Last night. *Last náit.* Anoche
Latin. *Látin.* Latino
Latin American. *Látin-Américan.* Hispanoamericano
Laugh. *Láf.* Reír
Laundry. *Lóndri.* Lavandería
Law. *Lou.* Ley
Lawyer. *Lóyer.* Abogado
Laxative. *Láxativ.* Laxante
Lazy. *Léisi.* Perezoso
Lead. *Led.* Plomo
Leader. *Líder.* Jefe, sedal
Leaf. *Líif.* Hoja
Leak. *Líik.* Fuga; puerro
Learn. *Lérn.* Aprender
Leather. *Léder.* Cuero
Leave. *Líiv.* Dejar
Lecture. *Lékcher.* Conferencia
Left-handed. *Left-jandid* Zurdo
Left luggage office. *Léft láguech ófis.* Consigna
Legend. *Léyend.* Leyenda
Lemon. *Lémon.* Limón
Lemonade. *Lémoneid.* Limonada
Lesson. *Léson.* Lección
Letter. *Léter.* Carta

Letter box. *Léter box.* Buzón
Lettuce. *Létes.* Lechuga
Liberty. *Líberti.* Libertad
Library. *Láibreri.* Biblioteca
Licence. *Láisens.* Licencia
Lie. *Laí.* Mentir, yacer
Life-jacket. *Láif-yáket* Salvavidas
Lift. *Lift.* Ascensor
Light. *Lait.* Luz, encender, ligero
Lighter. *Láiter.* Encendedor
Like. *Láik.* Gustar
Limit. *Límit.* Límite
Linen. *Línin.* Ropa de cama
Lion. *Láion.* León
Lip. *Lip.* Labio
Liquor. *Líker.* Licor
List. *List.* Lista
Listen. *Lísen.* Escuchar
Little. *Lítel.* Poco, pequeño
Live. *Liv.* Vivir
Lizard. *Lísard.* Lagarto
Load. *Lóud.* Carga
Lobster. *Lóbster.* Bogavante
Lock. *Lok.* Cerradura
Locomotive. *Locómotif.* Locomotora
Lodging. *Lódchin.* Alojamiento
Lollypop. *Lólipop.* Caramelo, pirulí
Look. *Luk.* Mirar
Look for. *Luk for.* Buscar
Loose. *Lus.* Flojo
Lost. *Lost.* Perdido
Love. *Láv.* Amar, amor
Luck. *Lác.* Suerte
Lunch. *Lanch.* Almuerzo
Lung. *Lang.* Pulmón
Luxurious. *Lakshéries.* Lujoso

Magnet. *Magnet.* Imán
Magnificent. *Magnífisent* Magnífico
Maid. *Méid.* Criada
Majority. *Mayóriti.* Mayoría
Make. *Méik.* Hacer
Man. *Man.* Hombre
Manager. *Mánayer.* Gerente
Marble. *Marb'l.* Mármol
Mare. *Méer.* Yegua
Mark. *Mark.* Marca
Market. *Márket.* Mercado
Marquis. *Márcuis.* Marqués
Married. *Mérrid.* Casado
Mass. *Mas.* Misa
Match. *Match.* Cerilla
Material. *Matíriel.* Material
Mattress. *Mátres.* Colchón
Mayor. *Méyor.* Alcalde
Meal. *Míil.* Comida
Measure. *Mésher.* Medida
Medicine. *Médisin.* Medicina
Meet. *Míit.* Encontrar
Meeting. *Mítin.* Reunión
Member. *Mémber.* Miembro
Message. *Mésech.* Mensaje
Metal. *Métal.* Metal
Milk. *Milk.* Leche
Mirror. *Mírror.* Espejo
Misfortune. *Misforcher* Desgracia

Missionary. *Míseneri.* Misionero
Mistake. *Mistéik.* Equivocación
Mixed. *Mixt.* Mezclado
Molecule. *Mólekiul.* Molécula
Money. *Máni.* Dinero
Monkey. *Mánki.* Mono
Monument. *Mániument* Monumento
Moon. *Mun.* Luna
Mosaic. *Móseik.* Mosaico
Mosque. *Mosk.* Mezquita
Mother-in-law. *Máder-in-lo.* Suegra
Mother of pearl. *Máder of perl.* Nácar
Mountain. *Máuntein.* Montaña
Mourning. *Máurnin.* Duelo, luto
Mouse. *Máus.* Ratón
Mud. *Mad.* Fango
Mugging. *Máging.* Atraco
Murder. *Mérder.* Asesinar
Muscle. *Másel.* Músculo
Mushroom. *Máshrum.* Hongo, seta
Musician. *Miúsishen.* Músico
Must. *Mast.* Deber
Mustache. *Másteish.* Bigote
Mustard. *Másterd.* Mostaza

Naked. *Néikit.* Desnudo
Nap. *Nap.* Siesta
Napkin. *Nápkin.* Servilleta
Narrow. *Nárrou.* Estrecho
Native. *Nátiv.* Nativo
Nature. *Néicher.* Naturaleza
Nausea. *Nósea.* Náusea
Need. *Níid.* Necesitar
Needle. *Nidel.* Aguja
Neighbour. *Néibor.* Vecino
Nephew. *Néfiu.* Sobrino
Nerve. *Nerv.* Nervio
Net. *Net.* Red
News. *Nius.* Noticias
Newspaper. *Niuspéiper.* Diario
Next. *Next.* Inmediato, próximo
Niece. *Níis.* Sobrina
Noise. *Nóis.* Ruido
Nonsence. *Nánsens.* Disparate
North. *Nórz.* Norte
Notebook. *Noutbuk.* Cuaderno
Nothing. *Názin.* Nada
Novel. *Nável.* Novela
Novelty. *Nóvelti.* Novedad
Now. *Náu.* Ahora
Nuptial. *Népshel.* Nupcial
Nurse. *Nérs.* Enfermera
Nut. *Nat.* Nuez

Oasis. *Oésis.* Oasis
Obedience. *Obídiens.* Obediencia
Object. *Obyekt.* Objeto
Oblique. *Oblik.* Oblicuo
Observatory. *Obsérvatori.* Observatorio
Obtain. *Obtéin.* Obtener
Obvious. *Ábvies.* Obvio
Occasion. *Okéishon.* Ocasión

Ocean. *Óushen.* Océano
Oil. *Óil.* Aceite, petróleo
Ointment. *Óintment.* Pomada
Olive. *Óliv.* Aceituna
Onion. *Ánion.* Cebolla
Open. *Óupen.* Abrir
Operating theatre. *Ópereting zíeter.* Quirófano
Opposite. *Óposit.* Opuesto
Optician. *Optísian.* Optico
Orchid. *Órked.* Orquídea
Organ. *Órgan.* Organo
Out of order. *Aut of order.* No funciona
Oven. *Óven.* Horno
Overturn. *Overtérn.* Volcar
Owl. *Ául.* Búho
Owner. *Óuner.* Propietario
Oxide. *Óxid.* Oxido
Oxygen. *Óxiyen.* Oxígeno
Oyster. *Oister.* Ostra

Package. *Pákech.* Paquete
Packing. *Pákin.* Embalaje
Pack of cards. *Pak of cards.* Baraja
Page. *Péich.* Página
Pain. *Péin.* Dolor
Painting. *Péintin.* Pintura
Pair. *Péer.* Pareja
Pajamas. *Payámas.* Pijama
Palace. *Pálas.* Palacio
Pale. *Péil.* Pálido
Palm tree. *Pam tríi.* Palmera
Panties. *Pántis.* Bragas
Paper. *Péiper.* Papel
Parallel. *Páralel.* Paralelo
Parsley. *Pársli.* Perejil
Partition wall. *Partíshen uol.* Tabique
Party. *Párti.* Fiesta, reunión
Passage. *Páseich.* Pasaje
Passport. *Pasport.* Pasaporte
Pastry. *Peistri.* Pastel, pasta
Patient. *Péishent.* Paciencia, paciente
Patrol. *Pátroul.* Patrulla
Pavement. *Péivment.* Acera
Pavilion. *Páviyen.* Pabellón
Paw. *Po.* Zarpa
Peace. *Píis.* Paz
Peanut. *Pínat.* Cacahuete
Pearl. *Perl.* Perla
Peasant. *Péesant.* Campesino
Pebble. *Péb'l.* Guijarro
Pedestrian. *Pédestrien.* Peatón
Pen. *Pen.* Pluma
Pencil. *Pénsil.* Lápiz
Penitence. *Pénitens.* Penitencia
People. *Pípol.* Gente
Pepper. *Péper.* Pimienta
Performance. *Perfórmans.* Representación, actuación
Perspiration. *Perspiréishen.* Sudor
Petticoat. *Péticout.* Combinación
Pick up. *Pik ap.* Recoger
Picture. *Píkcher.* Cuadro, retrato
Pig. *Pig.* Cerdo
Pilgrim. *Pílgrim.* Peregrino
Pill. *Pil.* Píldora, pastilla

Pillow. *Pílou.* Almohada
Pilot. *Páilet.* Piloto
Pin. *Pin.* Alfiler
Pipe. *Páip.* Tubería
Pistol. *Pístol.* Pistola
Place. *Pléis.* Lugar
Plain. *Plein.* Llanura
Play. *Pléi.* Jugar
Pleasant. *Plésant.* Agradable
Pneumonia. *Niumóunia.* Neumonía
Pocket. *Póket.* Bolsillo
Poem. *Poém.* Poema
Poison. *Póisen.* Veneno
Policeman. *Poulisman.* Policía
Police Station. *Poulis stéishen.* Comisaría
Poor. *Púor.* Pobre
Port. *Port.* Babor, puerto
Postman. *Póustman.* Cartero
Postpone. *Pospóun.* Aplazar
Pound. *Páund.* Libra
Powder. *Páuder.* Polvo, pólvora
Power. *Páuer.* Potencia, poder
Prawn. *Prón.* Gamba
Prayer. *Préier.* Oración
Precious. *Preshies.* Precioso
Prescription. *Priscrípshen.* Receta
Present. *Prísent.* Regalo
Pressing-iron. *Présin-áir'n.* Plancha (ropa)
Pretty. *Príti.* Bonito
Priest. *Prist.* Cura, sacerdote
Prisoner. *Prísoner.* Prisionero
Prize. *Práis.* Premio
Process. *Próces.* Trámite
Profit. *Prófit.* Beneficio
Properly. *Próperli.* Debidamente
Protection. *Protécshen.* Protección
Proud. *Práud.* Orgulloso
Province. *Právens.* Provincia
Pull out. *Pul aut.* Sacar
Punish. *Pánish.* Castigar
Pure. *Piúer.* Puro
Push. *Push.* Empujar
Put in. *Put in.* Meter

Quality. *Cuóliti.* Calidad
Quantity. *Cuóntiti.* Cantidad
Queen. *Cuin.* Reina
Quickly. *Cuícli.* Rápidamente

Rabbit. *Rábit.* Conejo
Race. *Réis.* Raza
Radioactivity. *Reidioactíviti.* Radiactividad
Radish. *Rádish.* Rábano
Rage. *Réich.* Rabia
Rain. *Réin.* Llover
Rain coat. *Réin cóut.* Gabardina, impermeable
Rat. *Rat.* Rata
Ray. *Rei.* Rayo
Reach. *Ríich.* Alcanzar
Read. *Rid.* Leer
Reagree. *Riegri.* Reconciliar

Reason. *Ríson.* Razón
Receipt. *Risipt.* Recibo
Receive. *Risiv.* Recibir
Record. *Récord.* Disco
Recover. *Ricáver.* Recuperar
Red Cross. *Red Cros.* Cruz Roja
Reduction. *Redácshen.* Rebaja
Reef. *Rif.* Escollo
Refreshment. *Rifrésment.* Refresco
Refrigerator. *Refriyeréiter.* Nevera
Refund. *Rífand.* Reembolso
Refuse. *Refiús.* Rehusar
Regards. *Rigárds.* Saludos
Region. *Ríyen.* Región
Registration number. *Reyistréishen námber.* Matrícula
Regret. *Rígret.* Lamentar
Regulation. *Reguiuleishen.* Regulación
Remain. *Riméin.* Permanecer
Remember. *Rimémber.* Recordar
Remove. *Rimúv.* Quitar
Rent. *Rent.* Alquilar
Repair. *Ripéar.* Reparar
Repeat. *Ripíit.* Repetir
Reply. *Ripláí.* Contestar
Report. *Ríport.* Informar; denunciar
Reporter. *Ripórter.* Periodista
Representative. *Ríprésentativ.* Representante
Responsability. *Risponsabíliti.* Responsabilidad
Rest. *Rest.* Descansar
Return. *Ritérn.* Volver
Reveal. *Rivil.* Revelar
Review. *Reviú.* Revista
Rib. *Rib.* Costilla
Rich. *Rich.* Rico
Rights. *Ráits.* Derechos
Ring. *Ring.* Anillo
River. *River.* Río
Roast. *Róust.* Asado
Rock. *Rok.* Roca
Roller. *Róler.* Rulo
Roof. *Rúuf.* Tejado
Room. *Rúum.* Habitación
Rope. *Róup.* Cuerda
Rough. *Raf.* Aspero
Round. *Ráund.* Redondo
Rubber. *Ráber.* Caucho
Rubbish. *Rábish.* Basura
Ruby. *Rúbi.* Rubí
Rude. *Rúud.* Grosero
Rug. *Rag.* Alfombra
Ruin. *Rúin.* Ruina
Russia. *Ráshia.* Rusia

Sad. *Sad.* Triste
Saddle. *Sad'l.* Silla de montar
Safety-pin. *Séifti-pin.* Imperdible
Sale. *Séil.* Venta
Salesman. *Séilsman.* Vendedor
Salt. *Solt.* Sal
Sand. *Sand.* Arena
Sapphire. *Sáfair.* Zafiro
Sauce. *Sos.* Salsa
Sausage. *Sósich.* Salchicha

Saw. *Só.* Sierra
Say. *Séi.* Decir
Scales. *Skeils.* Balanza
Scarce. *Skérs.* Escaso
Scarf. *Scarf.* Bufanda
School. *Skul.* Escuela
Science. *Sáiens.* Ciencia
Scissors. *Sísors.* Tijeras
Scotch. *Scach.* Escocés
Scratch. *Scrach.* Rasguño
Screw. *Scriu.* Tornillo
Sea. *Sii.* Mar
Sealing wax. *Síling uox.* Lacre
Seat. *Síit.* Asiento
Secret. *Sícret.* Secreto
Seduction. *Sidákshen.* Seducción
See. *Síi.* Ver
Seem. *Sim.* Parecer
Send. *Send.* Enviar
Serve. *Serv.* Servir
Sew. *Sóu.* Coser
Shade. *Shéid.* Sombra
Shampoo. *Shampú.* Champú
Shark. *Shark.* Tiburón
Sharp. *Sharp.* Agudo
Shave. *Shéiv.* Afeitar
Sheep. *Shíip.* Oveja
Sheet. *Shíit.* Sábana
Sherry. *Sherri.* Jerez
Shop. *Shop.* Tienda
Shop window. *Shop uindou.* Escaparate
Shot. *Shot.* Disparo
Shoulder. *Shóulder.* Hombro
Shout. *Sháut.* Grito
Show. *Shou.* Mostrar, espectáculo
Shower. *Sháuer.* Ducha
Shutter. *Sháter.* Persiana
Sickness. *Síknes.* Enfermedad
Sign. *Sáin.* Firmar, letrero
Signal. *Sígnal.* Señal
Silence. *Sáilens.* Silencio
Silk. *Silk.* Seda
Silver. *Sílver.* Plata
Similar. *Símilar.* Similar
Sincere. *Sinsíer.* Sincero
Sing. *Sing.* Cantar
Single. *Síngel.* Unico
Sink. *Sink.* Hundir
Sky. *Skái.* Cielo
Skyscraper. *Skaiscréiper.* Rascacielos
Sleep. *Slíip.* Dormir
Sleeve. *Slíiv.* Manga
Slipper. *Slíper.* Zapatilla
Slippery. *Slíperi.* Resbaladizo
Slow. *Slóu.* Lento
Smell. *Smell.* Oler
Smile. *Smáil.* Sonrisa
Smoke. *Smóuk.* Humo
Smooth. *Smuuz.* Liso, suave
Snail. *Snéil.* Caracol
Snake. *Snéik.* Culebra
Snow. *Snóu.* Nieve
Soap. *Soup.* Jabón
Soldier. *Soldyer.* Soldado
Solid. *Sálid.* Sólido
Something. *Sámzin.* Algo
Song. *Song.* Canción
Sore. *Sor.* Llaga
Sound. *Sáund.* Sonido
Soup. *Sup.* Sopa
Sour. *Sáuer.* Agrio
Souvenir. *Súvenir.* Recuerdo

Space. *Speis.* Espacio
Spark plug. *Spark plag.* Bujía
Speak. *Spíik.* Hablar
Special. *Spéshal.* Especial
Speed. *Spíid.* Velocidad
Spend. *Spend.* Gastar
Spider. *Spáider.* Araña
Spring. *Spring.* Primavera, muelle
Squall. *Skúol.* Borrasca
Square. *Skúear.* Plaza, cuadrado
Stage. *Stéich.* Escenario
Stain. *Stein.* Mancha
Stairs. *Stérs.* Escalera
Stamp. *Stamp.* Sello
Star. *Star.* Estrella
Starch. *Starch.* Almidón
Start. *Start.* Comenzar
Statue. *Stachu.* Estatua
Steak. *Stéik.* Filete
Steam. *Stim.* Vapor
Steering-wheel. *Stíirin-uil.* Volante
Stick. *Stik.* Palo
Stiff. *Stif.* Tieso
Sting. *Stin.* Picadura
Stirrup. *Stírrap.* Estribo
Stomach upset. *Stómak ápset.* Diarrea
Stone. *Stoun.* Piedra
Stop. *Stop.* Detener
Storm. *Storm.* Tempestad
Strange. *Streinch.* Extraño
Stranger. *Stréincher.* Forastero
Straw. *Stróu.* Paja
Strawberry. *Stróberri.* Fresa
Stream. *Strím.* Arroyo
Strike. *Straik.* Golpe, huelga
Strong. *Stron.* Fuerte
Student. *Stiúdent.* Estudiante
Study. *Stádi.* Estudiar
Stupid. *Stiúpid.* Necio
Subject. *Sábyet.* Súbdito
Success. *Saksés.* Exito
Suicide. *Siusáid.* Suicidio
Suit. *Sut.* Traje (hombre)
Sun. *San.* Sol
Sunrise. *Sanráis.* Amanecer
Supper. *Sáper.* Cena
Surgical. *Séryical.* Quirúrgico
Sweep. *Suíp.* Barrer
Sweet. *Suít.* Dulce
Swedish. *Súidish.* Sueco
Swim. *Suim.* Nadar
Swimming pool. *Suímin púul.* Piscina
Swindle. *Suíndel.* Estafa
Swiss. *Suis.* Suizo
Switch. *Suích.* Interruptor
Sword. *Suord.* Espada
Sympathy. *Símpazi.* Simpatía

Tablecloth. *Téibelcloz.* Mantel
Tail *Téil.* Cola
Tailor. *Teilor.* Sastre
Take off. *Téik off.* Despegar
Tanned. *Tán'd.* Bronceado
Tap. *Tap.* Grifo
Taste. *Téist.* Probar (comidas)
Tavern. *Távern.* Taberna
Teach. *Tíich.* Enseñar

Teacher. *Tícher.* Maestro
Tea-pot. *Ti-pot.* Tetera
Teeth. *Tíiz.* Dentadura
Telegram. *Télegram.* Telegrama
Tell. *Tel.* Narrar, contar
Temperature. *Témperacher.* Fiebre
Tennant. *Ténant.* Inquilino
Thank. *Zenk.* Agradecer
Therapeutics. *Zerapiútics.* Terapéutica
Thermometer. *Zérmomiter.* Termómetro
Thick. *Zik.* Espeso
Thief. *Zif.* Ladrón
Thin. *Zin.* Delgado
Thing. *Zing.* Cosa
Think. *Zink.* Pensar
Thread. *Zred.* Hilo
Throat. *Zrout.* Garganta
Throw. *Zrou.* Tirar
Ticket collector. *Tíket coléktor.* Revisor
Tide. *Táid.* Marea
Tie. *Tái.* Corbata
Time. *Táim.* Tiempo, hora
Timid. *Tímid.* Tímido
Toast. *Tóust.* Tostada; brindis
Tobacco. *Tobaco.* Tabaco
Toe. *Tóu.* Dedo del pie
Toll. *Toul.* Peaje
Tongue. *Tong.* Lengua
Too much. *Tu mach.* Demasiado
Tooth. *Túuz.* Diente, muela
Touch. *Tach.* Tacto, tocar
Tow. *Tou.* Remolcar
Towel. *Táuel.* Toalla
Track. *Trak.* Pista, ruta
Transfer. *Tránsfer.* Transferir
Transfusion. *Transfíushen.* Transfusión
Translate. *Transléit.* Traducir
Trapezium. *Trapísiom.* Trapecio
Tree. *Tríi.* Arbol
Trick. *Trik.* Engaño
Trolleybus. *Trólibus.* Trolebús
Tropical. *Trópical.* Tropical
Trousers. *Tráusers.* Pantalones
Truck. *Trak.* Camión
Truly. *Truli.* Verdaderamente
Trunk. *Trank.* Baúl
Truth. *Truz.* Verdad
Try. *Trai.* Tratar, intentar
Tunnel. *Tánel.* Túnel
Turkish. *Térkish.* Turco
Type. *Táip.* Tipo
Typist. *Táipist.* Mecanógrafo

Ulcer. *Álser.* Ulcera
Umbrella. *Ambréla.* Paraguas
Umpire. *Ampáier.* Arbitro
Uncomfortable. *Ancomfórteibel.* Incómodo
Undergraduate. *Andergrádiueit.* Universitario
Underground. *Andergraun.* Subterráneo

Understand. *Anderstánd.* Comprender
Undress. *Andrés.* Desvestir
Unemployed. *Animplóit.* Desocupado
Uneven. *Aníven.* Desigual
Unfair. *Anfér.* Injusto
Unfasten. *Anfásen.* Soltar, desatar
Unfortunate. *Anfórchuneit.* Desafortunado
Unpack. *Anpák.* Desempaquetar
Unpleasant. *Anplésant.* Desagradable
Unusual. *Aniúshual.* Raro
Urbanization. *Orbeniséishen.* Urbanización
Use. *Iús.* Usar
Used to. *Iúst tu.* Acostumbrado
Useful. *Iúsful* Util
Useless. *Iúsles.* Inútil
Usher. *Asher.* Acomodador

Vaccinate. *Vaksinéit.* Vacunar
Valise. *Valís.* Maleta
Valuable. *Váliuebel.* Valioso
Valve. *Valv.* Válvula
Velvet. *Velvet.* Terciopelo
Vesper. *Vésper.* Anochecer
Vest. *Vest.* Camiseta
Village. *Vílech.* Aldea
Vinegar. *Vínegar.* Vinagre
Visa. *Vísa.* Visado
Visit. *Vísit.* Visita
Voice. *Vóis.* Voz
Voltage. *Vóulteich.* Voltaje
Vomit. *Vómit.* Vomitar

Wait. *Uéit.* Esperar
Waiting-room. *Uétin-rúum.* Sala de espera
Walk. *Uóc.* Andar
Wall. *Uól.* Pared
Wallet. *Uólet.* Cartera
Walnut. *Uólnat.* Nuez
Wash. *Uósh.* Lavar
Wash-stand. *Uósh-stand.* Lavabo
Wave. *Uéiv.* Ola, onda
Weak. *Uíc.* Débil
Week. *Uíik.* Semana
Well-mannered. *Uel-mánered.* Educado
West. *Uést.* Oeste
Wet. *Uet.* Húmedo, mojado
Whale. *Uéil.* Ballena
Wheel. *Uíl.* Rueda
Whimper. *Uímper.* Lloriquear
Wide. *Uáid.* Ancho
Widow. *Uídou.* Viuda
Wild. *Uáild.* Salvaje
Willing. *Uíling.* Dispuesto
Window. *Uíndou.* Ventana
Wire. *Uáier.* Alambre
Wise. *Uáis.* Sabio
Wish. *Uísh.* Desear
With. *Uiz.* Con
Wolf. *Uúlf.* Lobo
Woman. *Uúmen.* Mujer
Wood. *Uúd.* Madera
Wool. *Uúl.* Lana
Word. *Uérd.* Palabra
Work. *Uérk.* Trabajo
World. *Uérld.* Mundo
Worn out. *Uórn. aút.* Usado, gastado
Wound. *Uúnd.* Herida

Wrap. *Rap.* Envolver
Wrath. *Raz.* Ira
Write. *Ráit.* Escribir
Wrong. *Rong.* Equivocado

X-Rays. *Ecs-reys.* Rayos X

Yacht. *Yót.* Yate
Yard. *Yard.* Patio; yarda
Yellow. *Iélou.* Amarillo
Young. *Iáng.* Joven

Zoo. *Su.* Zoológico

CONFECCION, TALLAS, EQUIVALENCIAS

CONFECCION SEÑORAS								
Gran Bretaña	36	38	40	42	44	46		
América	34	36	38	40	42	44		
Europa Continental	42	44	46	48	50	52		
CONFECCION JUNIOR								
Gran Bretaña	32	33	35	36	38	39		
América	10	12	14	16	18	20		
Europa Continental	38	40	42	44	46	48		
CONFECCION CABALLERO								
Gran Bretaña y América	36	38	40	42	44	46		
Europa Continental	46	48	50	52	54	56		
CAMISAS								
Gran Bretaña y América	14	14½	15	15½	16	16½	17	
Europa Continental	36	37	38	39	41	42	43	
MEDIAS								
Gran Bretaña y América	9½	10	10½	11	11½			
Europa Continental	38-39	39-40	40-41	41-42	42-43			
ZAPATOS								
Gran Bretaña y América	3	4	5	6	7	8	9	10
Europa Continental	36	37	38	39	41	42	43	44
CALCETINES								
Gran Bretaña y América	8	8½	9	9½	10	10½		
Europa Continental	0	1	2	3	4	5		

DIFERENCIAS CON RELACION AL HORARIO EUROPEO (H. E.)

Países	Dif.	Países	Dif.
Adén	− 2	Israel	+ 1
Afganistán	+ 3 1/2	Italia	H. E.
Alemania	H. E.	Jamaica	− 6
Arabia Saudita	+ 2	Japón	+ 8
Argelia	− 1	Kenia	+ 2
Argentina	− 4	Madagascar	+ 2
Australia (Victoria)	+ 9	Malasia	+ 6 1/2
Austria	H. E.	México	− 7
Bélgica	H. E.	Mozambique	+ 1
Bermudas	− 5	Nigeria	H. E.
Bolivia	− 5	Noruega	H. E.
Borneo	+ 7	Nueva Zelanda	+ 11
Brasil (Este)	− 4	Países Bajos	H. E.
Brasil (Oeste)	− 5	Pakistán	+ 4
Bulgaria	+ 1	Panamá	− 6
Canadá (Atlántico)	− 5	Paraguay	− 5
Canadá (Pacífico)	− 9	Perú	− 6
Canarias	− 1	Polonia	H. E.
Ceilán	+ 4 1/2	Portugal	H. E.
Colombia	− 6	Rodesia	+ 1
Congo (Leopolville)	H. E.	Rumania	+ 1
Costa Rica	− 7	Rusia (Moscú)	+ 2
Cuba	− 6	Rusia (Vladivostok)	+ 9
Checoslovaquia	H. E.	Singapur	+ 6 1/2
Chile	− 5	Siria	+ 1
China	+ 7	Sud Africa	+ 1
Chipre	+ 1	Suecia	H. E.
Dinamarca	H. E.	Suiza	H. E.
Ecuador	− 6	Tailandia	+ 6
Egipto	+ 1	Tanzania	+ 2
España	H. E.	Trinidad	− 5
Filipinas	+ 7	Turquía	+ 1
Finlandia	+ 1	Uganda	+ 2
Francia	H. E.	USA (Este)	− 6
Gran Bretaña	− 1	USA (Centro)	− 7
Grecia	+ 1	USA (Pacífico)	− 9
Hong-Kong	+ 7	USA (Costa Oeste)	− 8
Hungría	H. E.	USA (Alaska)	− 10
India	+ 4 1/2	USA (Hawai)	− 11
Indonesia (Java)	+ 6	Uruguay	− 4
Irán	+ 2 1/2	Venezuela	− 5
Irak	+ 2	ex-Yugoslavia	H. E.

[2] No se tiene en cuenta el verano.

DISTANCIAS AEREAS

De Madrid a

Destino	Km
Amsterdam	1.465
Atenas	2.307
Bombay	7.534
Bruselas	1.317
Cairo (El)	2.584
Buenos Aires	10.070
Calcuta	9.492
Caracas	7.004
Colonia	1.451
Copenhague	2.060
Dakar	3.164
Dublín	1.456
Estocolmo	2.594
Frankfurt	1.423
Ginebra	1.010
Hong-Kong	10.843
Johannesburgo	8.092
Karachi	6.666
Lagos	3.829
Lisboa	514
Londres	1.230
Malta	2.030
Melbourne	18.618
Montreal	5.555
Moscú	3.610
Nairobi	7.029
Nueva Delhi	7.736
Nueva York	5.775
Oslo	2.575
París	1.045
Pekín	9.399
Praga	2.120
Río de Janeiro	8.148
Roma	1.345
Salisbury	7.172
San Francisco	9.911
Sidney	17.912
Singapur	11.813
Tokio	14.017
Washington	6.160

De Londres a

Destino	Km
Amsterdam	372
Atenas	2.410
Bruselas	259
Buenos Aires	11.127
Calcuta	7.984
Caracas	8.234
Colonia	533
Copenhague	978
Dublín	359
Estocolmo	1.447
Ginebra	752
Hong-Kong	9.645
Lisboa	1.564
Madrid	1.230
Melbourne	22.540
Moscú	2.517
Nueva Delhi	7.501
Nueva York	5.539
Oslo	1.205
París	346
Pekín	8.169
Praga	1.044
Río de Janeiro	9.253
Roma	1.461
San Francisco	8.616
Sidney	17.018
Singapur	10.876
Tokio	9.590

De Nueva York a

Destino	Km
Amsterdam	5.848
Bruselas	5.885
Buenos Aires	8.534
Cairo (El)	9.014
Calcuta	12.742
Caracas	2.504
Estocolmo	6.307
Ginebra	6.200
Lisboa	5.404
Madrid	5.775
Moscú	7.499
París	5.825
Río de Janeiro	7.729
Roma	6.799
Tokio	10.876
Washington	343

PESOS Y MEDIDAS

SISTEMA METRICO

Medidas de longitud

1 Angstrom = 0,000.000.1 m/m
1 Angstrom = 0,000.1 micra
1 Angstrom = 0,1 milimicra
1 milimicra = 0,000.000.001 m
1 milimicra = 0,001 micra
1 micra = 0,000.001 metros
1 milímetro = 0,001 metros
1 centímetro = 0,01 metros
1 decímetro = 0,1 metros
1 metro = 1 metro
1 decámetro = 10 metros
1 hectómetro = 100 metros
1 kilómetro = 1.000 metros
1 miriámetro = 10.000 metros

Medidas de superficie

1 milímetro cuad. = 0,000.001 m^2
1 centímetro cuad. = 0,0001 m^2
1 decímetro cuadrado = 0,01 m^2
1 metro cuadrado = 1 m^2
1 área (o decámetro) = 100 m^2
1 ha (o hectómetro) = 10.000 m^2
1 kilómetro cuad. = 1.000.000 m^2
1 miriám. cuad. = 100.000.000 m^2

Medidas de volumen

1 milím. cúb. = 0,000.000.001 m^3
1 centímetro cúb. = 0,000.001 m^3
1 decímetro cúbico = 0,001 m^3
1 metro cúb. (o estéreo) = 1 m^3
1 decámetro cubico = 1.000 m^3
1 hectóm. cúb. = 1.000.000 m^3
1 kilóm. cúb. = 1.000.000.000 m^3

Medidas de peso

1 kilate métrico = 0,2 g
1 miligramo = 0,001 g
1 centigramo = 0,01 g
1 decigramo = 0,1 g
1 gramo = 1 g
1 kilogramo = 1.000 g
1 quintal métrico = 100 kg
1 tonelada métrica = 1.000 kg

Medidas de capacidad

1 mililitro = 0,001 litros
1 centilitro = 0,01 litros
1 decilitro = 0,1 litros
1 litro = 1 litro = 1 dm^3
1 hectolitro = 100 litros
1 kilolitro = 1.000 litros = 1 m^3

SISTEMA BRITANICO

Medidas de longitud

12 pulgadas = 1 pie
3 pies = 1 yarda
$5\frac{1}{2}$ yardas = 1 vara o percha
4 varas = 1 cadena
10 cadenas = 1 estadio
8 estadios = 1 milla

Medidas de superficie

144 pulgadas cuad. = 1 pie cuad.
9 pies cuad. = 1 yarda cuad.
$30\frac{1}{4}$ yardas cuad. = 1 vara cuad.
40 varas cuadradas = 1 rood
4 roods = 1 acre
4,840 yardas cuadradas = 1 acre
640 acres = 1 milla cuadrada

Medidas de volumen

1.728 pulg. cúb. = 1 pie cúb.
27 pies cúbicos = 1 yarda cúbica
5,8 pies cúbicos = 1 bulk barrel

Medidas de peso

437,5 granos = 1 onza
16 onzas = 1 libra
14 libras = 1 stone
28 libras = 1 quarter
4 quarters = 1 quintal
20 quintales = 1 tonelada larga

Medidas de capacidad

1 dracma fluido = 1 onza fluida
5 onzas fluidas = 1 gill
2 gills = 1 pinta
2 pintas = 1 quart.
4 quart = 1 galón imperial
2 galones = 1 peck
4 pecks = 1 bushel
8 bushels = 1 quarter
36 galones = 1 bulk barrel

Otras medidas

1 tonelada reg. = 100 pies cúb.
1 nudo = 1 milla náutica por hora
1 milla náutica = 6.080 pies
6 pies = 1 braza
1 legua =3 millas náuticas

PESOS Y MEDIDAS: FACTORES DE CONVERSION

	Para convertir	En	Multiplíquese por
Medidas de longitud	Milímetros	Pulgadas	0,0394
	Centímetros	Pulgadas	0,3937
	Metros	Pies	3,2808
	Metros	Yardas	1,0936
	Metros	Brazas	0,5468
	Kilómetros	Millas tierra	0,6214
	Kilómetros	Millas mar (USA)	0,5399
	Kilómetros	Millas mar (U.K.)	0,5396
Medidas de superficie	Milím. cuadrados	Pulgadas cuadradas	0,001550
	Centím. cuadrados	Pulgadas cuadradas	0,1550
	Metros cuadrados	Pies cuadrados	10,7369
	Metros cuadrados	Yardas cuadradas	1,1960
	Kilóm. cuadrados	Acres	247,105
	Kilóm. cuadrados	Millas cuadradas	0,3861
	Hectáreas	Acres	2,4710
Medidas de volumen	Centím. cuadrados	Pulgadas cúbicas	0,0610
	Metros cúbicos	Pies cúbicos	35,3145
	Metros cúbicos	Yardas cúbicas	1,3079
	Metros cúbicos	Galones (USA)	264,178
	Metros cúbicos	Galones (U.K.)	219,976
Medidas de capacidad	Litros	Pulgadas cúbicas	61,0238
	Litros	Pies cúbicos	0,03531
	Litros	Galones (USA)	0,2642
	Litros	Galones (U.K.)	0,2200
	Litros	Pintas líquidas	2,1134
	Litros	Quarter líquidas	1,0567
	Hectolitros	Galones (USA)	26,4178
	Hectolitros	Galones (U.K.)	21,9976
	Hectolitros	Bushels (USA)	2,8378
	Hectolitros	Bushels (U.K.)	2,7497
Medidas de peso	Gramos	Onzas (Av.)	0,0353
	Gramos	Onzas (Troy)	0,0321
	Kilogramos	Libras (Av.)	2,2046
	Kilogramos	Libras (Troy)	2,6792
	Toneladas métricas	Toneladas (USA)	1,1023
	Toneladas métricas	Toneladas (U.K.)	0,9842
Temperaturas	Centígrados	Fahrenheit	Multiplicar por 9/5 y sumar 32°

PESOS Y MEDIDAS: FACTORES DE CONVERSION

Para convertir	En	Multiplíquese por	
Pulgadas	Milímetros	25,401	Medidas de longitud
Pulgadas	Centímetros	2,5401	
Pies	Metros	0,3048	
Yardas	Metros	0,9144	
Brazas	Metros	1,8288	
Millas tierra	Kilómetros	1,6093	
Millas mar (USA)	Kilómetros	1,8522	
Millas mar (U.K.)	Kilómetros	1,8532	
Pulgadas cuadradas	Milím. cuadrados	645,160	Medidas de superficie
Pulgadas cuadradas	Centím. cuadrados	6,4516	
Pies cuadrados	Metros cuadrados	0,0929	
Yardas cuadradas	Metros cuadrados	0,8361	
Acres	Kilóm. cuadrados	0,004046	
Millas cuadradas	Kilóm. cuadrados	2,5900	
Acres	Hectáreas	0,4046	
Pulgadas cúbicas	Centím. cúbicos	16,3872	Medidas de volumen
Pies cúbicos	Metros cúbicos	0,0283	
Yardas cúbicas	Metros cúbicos	0,7646	
Galones (USA)	Metros cúbicos	0,003785	
Galones (U.K.)	Metros cúbicos	0,004545	
Pulgadas cúbicas	Litros	0,01639	Medidas de capacidad
Pies cúbicos	Litros	28,3205	
Galones (USA)	Litros	3,7850	
Galones	Litros	4,5454	
Pintas líquidas	Litros	0,4732	
Quarter líquidas	Litros	0,9463	
Galones (USA)	Hectolitros	0,03785	
Galones (U.K.)	Hectolitros	0,04545	
Bushels (USA)	Hectolitros	0,3524	
Bushels (U.K.)	Hectolitros	0,3636	
Onzas (Av.)	Gramos	28,3495	Medidas de peso
Onzas (Troy)	Gramos	31,1035	
Libras (Av.)	Kilogramos	0,4536	
Libras (Troy)	Kilogramos	0,3732	
Toneladas (USA)	Toneladas métricas	0,907185	
Toneladas (U.K.)	Toneladas métricas	0,016047	
Fahrenheit	Centígrados	Restar 32º y multiplicar por 5/9	Temperaturas

NOTAS

NOTAS

NOTAS